L'AUVERGNE EN EUROPE

DIE AUVERGNE IN EUROPA
AUVERGNE IN EUROPE

Traduction allemande : Irmgard ROUX / Matthias KÖNIGSHOVEN
Traduction anglaise : Marybeth ELLIS

Autoroute A 72 : Colonne de Suchères (Puy-de-Dôme)
Autobahn A 72 : Säule von Suchères
A 72 motorway : The Suchères Pillar

Editions Xavier Lejeune 1989 - n° ISBN 2 907 608 053

L'AUVERGNE EN EUROPE

DIE AUVERGNE IN EUROPA
AUVERGNE IN EUROPE

Textes : Jean ANGLADE et François BOUCHUT
Conseil Régional d'Auvergne
Agence Régionale de Développement

Editions Xavier Lejeune - 157, rue de Saint-Cyr - 69009 LYON
IMPRIMERIE INTERGRAPHIE - 42000 SAINT-ETIENNE

Carte générale de situation de l'Auvergne
Lage der Auvergne in Europa
Auvergne's place in Europe

L'Auvergne est le pays de ce qui dure.

La rencontre de l'Auvergne confirme son image de terre préservée et secrète, mais aussi son dynamisme, fait de passion contenue, qui tient sans doute à la réunion de la pierre, de l'eau et du feu.

L'Auvergne vit une heure nouvelle de son histoire : l'arrivée des autoroutes met fin à son isolement traditionnel, au moment où l'élargissement de la Communauté la situe au centre géographique de l'Europe.

Notre région fonde son développement sur la recherche de l'alliance intime entre la tradition et le futurisme. Recherche constante en Auvergne depuis Blaise Pascal jusqu'à Teilhard de Chardin. Mais recherche poursuivie également dans nos universités et dans nos entreprises.

L'Auvergne joue le jeu de la qualité. Ses produits comptent, dans leur spécialité, parmi les plus performants du monde. Qualité et ténacité forment un couple : l'Auvergne est le pays de ce qui dure.

V. GISCARD D'ESTAING
Député au Parlement Européen
Président du Conseil Régional d'Auvergne

Die Auvergne ist das Land der Beständigkeit. .

Die Begegnung mit der Auvergne bestätigt einerseits die Vorstellung von einem naturbelassenen und geheimnisvollen Stück Erde, andererseits das dynamische Element, gelenkt durch jene Leidenschaft, die zweifellos Ergebnis der Symbiose aus Gestein, Wasser und Feuer ist.

Die Auvergne befindet sich an einem Wendepunkt ihrer Geschichte. Durch ihren Anschluß an neue Autobahnnetze wird ihrer unvorteilhaften und isolierten Lage ein Ende gemacht. Sie rückt in den geographischen Mittelpunkt der erweiterten Europäischen Gemeinschaft.

Die Entwicklung unserer Region steht im Zeichen eines ausgeglichen Verhältnisses zwischen Tradition und modernem Fortschritt.

Unsere Universitäten und Unternehmen führen die wissenschaftliche Forschung großer Auvergnaten, wie Blaise Pascal und Teilhard von Chardin fort.

Die Auvergne setzt auf Qualität. In bestimmten Produktbranchen zählen ihre Erzeugnisse zu den weltbesten. Qualität und Ausdauer gehen Hand in Hand. Die Auvergne ist das Land der Beständigkeit.

Auvergne : lasting quality.

An encounter with Auvergne confirms its image of a land of secrets and traditions but also its dynamism and restrained passion from the regional elements of stone, water and fire.

Auvergne is experiencing a new era in its history : the arrival of a comprehensive motorway network will put an end to its traditional isolation, at a time when the broadening of the European Economic Community places it as the geographical centre of Europe.

Our region founded its development on a combination of tradition and forward-thinking constant research since Blaise Pascal to Teilhard de Chardin, continued today in our universities and firms.

Auvergne places emphasis on quality. Its products are among the finest in the world in their speciality. Quality and tenacity go together, hand in hand, in this region. Auvergne is a region of long lasting excellence.

SOMMAIRE

ADRESSES :

CONSEIL REGIONAL :
Hôtel de la Région - 13,15 av de Fontmaure - B.P. 60 - 63402 Chamalières Cédex
Tél. 73.36.36.07 - Télex. 392422 - Télécopieur : 73.36.73.45

AGENCE REGIONALE DE DEVELOPPEMENT :
Centre Delille - 6, rue Urbain II - 63000 Clermont-Ferrand
Tél. 73.91.96.45 - Télécopieur : 73.91.94.09 - Télétex : 933-73929426-ARDAUV

COMITE REGIONAL DU TOURISME :
43, av Julien - B.P. 395 - 63011 Clermont-Ferrand Cedex - Tél. 73.93.04.03
ALLIER - CANTAL - HAUTE-LOIRE - PUY-DE-DOME
Construisez votre séjour : 36.15 AUVERGNE

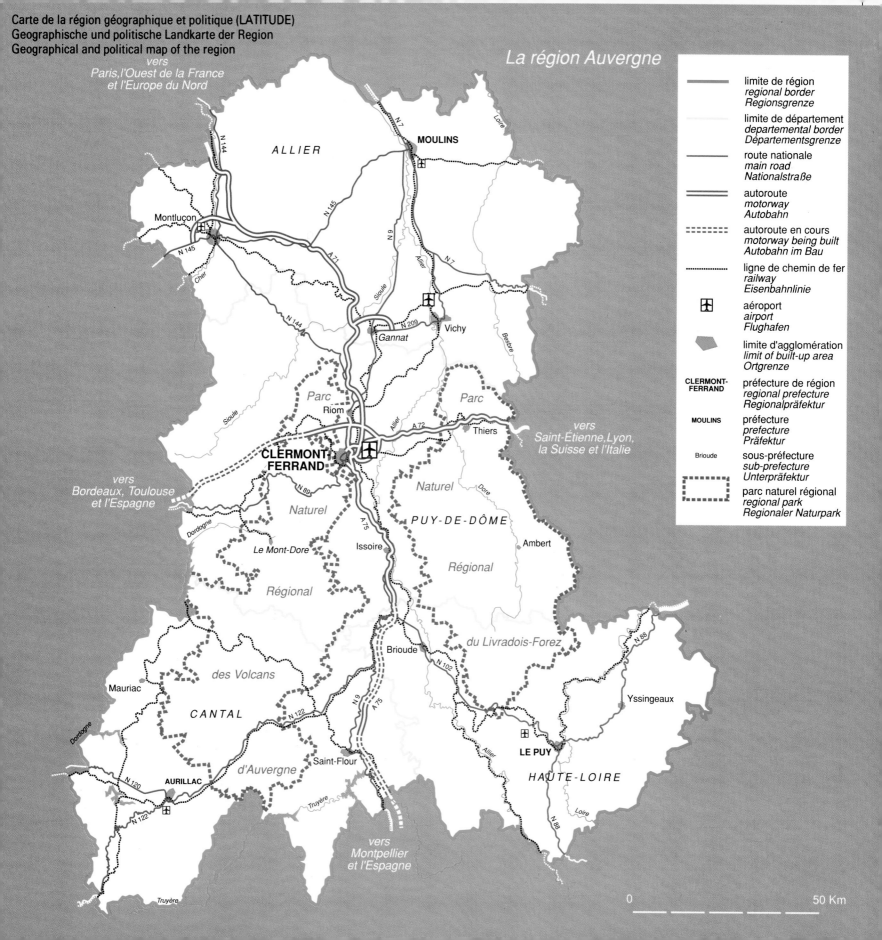

Carte de la région géographique et politique (LATITUDE)
Geographische und politische Landkarte der Region
Geographical and political map of the region

La région Auvergne

	limite de région *regional border* *Regionsgrenze*
	limite de département *departemental border* *Départementsgrenze*
	route nationale *main road* *Nationalstraße*
	autoroute *motorway* *Autobahn*
	autoroute en cours *motorway being built* *Autobahn im Bau*
	ligne de chemin de fer *railway* *Eisenbahnlinie*
⊞	aéroport *airport* *Flughafen*
	limite d'agglomération *limit of built-up area* *Ortgrenze*
CLERMONT-FERRAND	préfecture de région *regional prefecture* *Regionalpräfektur*
MOULINS	préfecture *prefecture* *Präfektur*
Brioude	sous-préfecture *sub-prefecture* *Unterpräfektur*
	parc naturel régional *regional park* *Regionaler Naturpark*

vers
Paris, l'Ouest de la France
et l'Europe du Nord

ALLIER

MOULINS

Montluçon

Vichy

Gannat

Riom

Parc   Parc

CLERMONT
FERRAND

vers
Saint-Étienne, Lyon,
la Suisse et l'Italie

vers
Bordeaux, Toulouse
et l'Espagne

Naturel

Naturel

Le Mont-Dore

Issoire

PUY-DE-DÔME

Ambert

Régional

Régional

des Volcans

du Livradois-Forez

Mauriac

Brioude

Yssingeaux

CANTAL

Saint-Flour

d'Auvergne

LE PUY

AURILLAC

HAUTE-LOIRE

vers
Montpellier
et l'Espagne

Thiers

Dore

Cher
Sioule
Sioule
Dordogne
Allier
Besbre
Loire
N 7
N 145
N 9
N 144
N 71
A 71
A 72
A 75
N 89
N 209
N 122
N 102
N 88
N 120
N 9
Truyère
Dordogne
Truyère
Allier
Loire

0   50 Km

Chapitre I

Une région en Europe

A l'heure où les nations se groupent pour former des communautés européennes, africaines, mondiales, que peut peser l'Auvergne en face de ces vastes ensembles ? Ce que pèse l'arbre dans une forêt. Non pas n'importe lequel, mais une belle plante, deux fois millénaire, pareille à cet olivier sicilien dans l'écorce duquel Archimède grava ses initiales et dont les branches pouvaient couvrir d'ombre tout un régiment au bivouac. Elle pèse donc de tout son passé, géologique, historique, politique. De sa position géographique incontournable : le plus court chemin de Londres à Rome, de Berlin à Madrid, passe par elle. Des arpenteurs modernes ont calculé où se trouvait le centre exact de la Communauté Economique Européenne.

Eine Region in Europa

Zu einer Zeit, wo sich die Europäische -, die Afrikanische -, ja eine Welt-Gemeinschaft bildet, stellt sich die Frage, welches Gewicht die Region Auvergne gegenüber solchen großen Gemeinschaften hat ? Genau so wenig oder viel, wie ein einziger Baum gegenüber einem ganzen Walde ausmacht-doch ist dieser Baum nicht irgendein Baum, sondern ein sehr schöner, der schon zweitausend Jahre alt ist. Er gleicht jenem sizilianischen Olivenbaum, in dessen Rinde Archimed seine Initialen eingravierte, und dessen Astwerk einem ganzen Regiment im Feldlager Schatten spendete. Die Auvergne wiegt mit dem vollen Gewicht ihrer geologischen, geschichtlichen und politischen Vergangenheit. Der kürzeste Weg von London nach Rom, von Berlin nach Madrid führt unweigerlich durch die Auvergne. Unsere Landvermesser haben berechnet, wo der geographische Mittelpunkt der Europäischen Gemeinschaft liegt.

A region in Europe

At a time when nations are grouping together to form European, African, or worldwide communities, how important is Auvergne among such large-scale organizations ? As important as the tree is to the forest - not just any tree, but a fine example of a plant, not one but two thousand years old ; like the Sicilian olive tree upon whose bark Archimedes carved his initials and whose branches could shade a whole encamped regiment. Auvergne is important for its entire past - geological, historical, and political. For its strategic geographical position - the shortest route from London to Rome, from Berlin to Madrid, is through Auvergne. Present day surveyors have determined the exact center of the European Economic Community.

Une région en Europe

Ils l'ont situé à Saint-André-le-Coq, un petit village en bordure de la Limagne, qui a reçu la nouvelle avec plaisir, ne s'en est point étonné, tellement il ressentait son euro-péisme et sa centralité, et a planté immé-diatement, au sommet d'un long mât, pour le préserver de la poussière de la route, un drapeau bleu à douze étoiles d'or. Les arpenteurs ne pouvaient mieux choisir. Il y règne une paix merveilleuse, un bien-être modeste ; alentour, la terre noire promet de belles récoltes ; au sommet du clocher, le coq regarde vers Bruxelles, Strasbourg ou Barcelone selon les vents européens.

Eine Region in Europa

Er befindet sich in Saint-André-le-Coq, einem kleinen Dorf am Rande der Limag-neebene. Die Dorfbewohner haben diese Neuigkeit mit Freude aufgenommen, waren allerdings nicht besonders erstaunt darüber, so sehr fühlten sie seit langer Zeit diese zentrale europäische Lage. Sie hißten sofort die europäische Flagge mit den zwölf goldenen Sternen auf blauem Hinter-grund an einen hohen Masten. Die Land-vermesser hätten zu keinem besseren Ergebnis kommen können : In Saint-André herrschen Friede und Eintracht, ein bescheidenes Wohlbefinden, umgeben von schwarzer fruchtbarer Erde, die reiche Ernten verspricht. Auf dem Kirchturm schaut der Hahn' gen Brüssel, Straßburg oder Barcelona, je nachdem, wie gerade die europäischen Winde wehen.

A region in Europe

It is situated at Saint-André-le-Coq, a small village on the edge of the Limagne Plain. The inhabitants were pleased to learn this, but were not surprised, as they already had a strong sense of belonging to Europe, of being central. They immediately put up a flag - blue with twelve gold stars - high upon a tall flagpole to keep it from getting dusty. The surveyors could not have made a better choice. There is a wonderful peaceful atmosphere here, a calm sense of well-being ; all around, the rich black soil promises plentiful harvests. At the top of the church steeple, the weathercock swings towards Brussels, Strasbourg, or Barcelona, directed by the winds of Europe.

9

Une région en Europe

L'Auvergne pèse de son originalité. Par exemple, du mystère de ses dimensions. Jusqu'où va-t-elle ? Jusqu'où ne va-t-elle pas ? Le Parisien - dans la générosité de son esprit - l'étend sur tout le Massif Central et baptise Auvergnats les originaires du Lot, de la Corrèze, de la Creuse, de l'Aveyron, de la Lozère, de l'Ardèche. Eux protestent doucement : "Mais non ! Je suis quercinois, limousin, marchois, rouergat, vivarois !" N'empêche qu'ils fraternisent, sachant bien qu'ils sont les branches issues d'un même tronc : la souche arverne.

L'Auvergne historique ne couvre que deux départements et demi : le Puy-de-Dôme, le Cantal et l'arrondissement de Brioude en Haute-Loire ; plus quelques miettes abandonnées en 1790 à des départements limitrophes. A ce noyau primitif, la réforme régionale a rattaché par la suite le reste de la Haute-Loire et tout l'Allier bourbonnais.

Quatre départements forment aujourd'hui la Région Auvergne : l'Allier (7 340 km²), le Cantal (5 726 km²), la Haute-Loire (4 980 km²) et le Puy-de-Dôme (7 970 km²).

Mais la superficie morale de l'Auvergne est bien plus vaste que son espace géographique. A telle enseigne qu'elle peut être vue comme une province à trois dimensions : une réduite, l'historique ; une moyenne, l'administrative ; une grande, la sentimentale. A quoi il convient d'ajouter l'Auvergne de la diaspora : les milliers, les centaines de milliers, peut-être le demi-million d'Auvergnats véritables ou assimilés qui ont quitté leur province natale pour aller conquérir quelque lointain Cipango. Principalement Paris. Mais aussi le Nord, le Lyonnais, la Côte d'Azur, le Languedoc-Roussillon, le Bordelais. Souvent l'Outre-Mer.

Eine Region in Europa

Die Bedeutung der Auvergne liegt in ihrer Originalität. Zum Beispiel im Geheimnis ihrer geographischen Ausdehnung. Wo befinden sich ihre Grenzen ? Für die Pariser in ihrer geistigen Großzügigkeit, ist sie mit dem ganzen französischen Zentralmassif identisch. Folglich taufen sie alle Bewohner aus den Departements Lot, Corrèze, Creuse, Aveyron, Lozère und Ardèche als Auvergnaten. Diese sind nicht ganz damit einverstanden und antworten : "Aber nein ! Ich bin ein Einwohner aus Quercy, Limousin, Marche, Rouergues und Vivarais (alte Provinzen Zentralfrankreichs) ! Aber was soll's, sie sind ja Brüder durch die gleichen Wurzeln, Nachkommen der Avergner.

Die historische Auvergne erstreckt sich nur über zweieinhalb Departements : den Puy-de-Dôme, den Cantal und den Bezirk Brioude in der Haute-Loire, sowie kleine Landstriche, die 1790 an die angrenzenden Departements abgetreten wurden. Zu diesem Kern kamen später durch die regionale Reform der Rest der Haute-Loire sowie der Allier Bourbonnais hinzu.

Vier Departements bilden heute die Region Auvergne : der Allier (7.340 qm), der Cantal (5.726 qm), die Haute-Loire (4.980 qm) und der Puy-de-Dôme (7.970 qm).

Aber die geistige Dimension der Auvergne geht über ihre geographische Ausdehnung hinaus. Sie kann als Provinz von drei Dimensionen angesehen werden : im historischen Sinne als kleine Provinz, verwaltungsmäßig als mittlere und auf der sentimetalen Ebene als große. Dazu gehören aber auch noch die Auvergnaten draußen in der "Diaspora". Tausende, hunderttausende, ja vielleicht sogar eine halbe Million von urstämmigen oder assimilierten Auvergnaten haben ihre Heimatprovinz verlassen, um in der Ferne ihr Glück zu suchen. Vor allem in Paris, auch im Norden Frankreichs, im Raume von Lyon und Bordeaux, an der Côte d'Azur, im Languedoc-Roussillon, oft auch in den Übersee-Departements.

A region in Europe

Auvergne is important because of its originality. For example, its very boundaries are a mystery. Just how far does it reach ? The Parisian - with generosity of mind - considers that it stretches over all the Massif Central and that natives of its departments - Lot, Corrèze, Creuse, Aveyron, Lozère, Ardèche - are all "Auvergnats". But they beg to differ, "Oh no ! I come from Quercy !" Or from Limousin, Marche, Rouergue, Vivarais. This does not mean they have any trouble getting along with each other ; they know that they are all branches off a common trunk - with Arverne roots.

Historical Auvergne covers only two and a half departments - the Puy-de-Dôme, the Cantal, and the Brioude district in the Haute-Loire department, plus a few odd bits given up in 1790 to neighboring departments. Regional reform enlarged this original nucleus by adding the rest of the Haute-Loire and all of the Bourbonnais region of the department of Allier.

Today, the Region of Auvergne is made up of four departments - the Allier (7.340 sq. km.), the Cantal (5.726 sq. km.), the Haute-Loire (4.980 sq. km.) and the Puy-de-Dôme (7.970 sq. km.).

But the scope of Auvergne mentality goes beyond its geographical limitations, in such a way that it can be considered a three-dimensional province. The first is small - the historical dimension ; the second, of medium size - administrative ; the third, large - sentimental. Add to these the Auvergne of its non-residents - the thousands, hundreds of thousands, perhaps half a million Auvergnats, "genuine" or worthy of being so-called, who have left their home province to go off to conquer some distant Cipango. Paris, for the most part ; but also the North, the region of Lyon, the Côte d'Azur, Languedoc-Roussillon, the region of Bordeaux, and often, the overseas departments and territories.

La chaîne des Puys (Puy-de-Dôme)
Gebirgskette der Puys
The Puys mountain range

Vue de Clermont-Ferrand et du Puy-de-Dôme
Blick auf Clermont-Ferrand vom Puy-de-Dôme
View of Clermont-Ferrand and of the Puy-de-Dôme

11

Une région en Europe

Nous pouvons donc parler, non point d'une Auvergne, mais de plusieurs. De même que l'on parla jadis des Espagnes de Charles-Quint. Sur l'auvergnaterie à travers le monde, le soleil ne se couche point.

Les Auvergnes donc... Et pays des surprises... Les églises y ressemblent à des forteresses, les barrages à des fjords, les châteaux à des mirages, les vaches à des rochers de pouzzolane, les fromages à des meules de moulin, les volcans à des dromadaires. En Auvergne, on n'en finit point de se tromper et de se détromper.

Et l'on se trompe aussi sur son présent. Longtemps, ses fils émigrèrent pour tenter l'aventure et faire fortune. L'aventure, aujourd'hui, consiste à rester chez soi. A obtenir les mêmes résultats sans perdre de vue son clocher ou ses montagnes. Elle a quitté ses sabots et entrepris allègrement les voies les plus scabreuses de l'agriculture, du commerce, de l'industrie, de la culture, de la politique. Avec un oeil sur Paris, un autre sur New-York et les deux pieds sur la terre volcanique qui sonne comme un tonneau vide quand on la frappe.

Avec une ingéniosité merveilleuse, l'Auvergnat travaille les matières les plus grandioses aussi bien que les plus menues : le caoutchouc à Clermont-Ferrand et à Montluçon, l'aluminium au lithium à Issoire, cependant que les couteliers de Thiers fabriquent des ciseaux pour enfants sans une once de métal et qu'une usine de l'Allier lance sur le marché comme des confettis un article fort prisé en ce moment et qui préserve de tout sauf de l'amour.

Eine Region In Europa

Wir dürfen also nicht nur von einer Auvergne sprechen, sondern von mehreren, so wie man einst von den Spanischen Ländern Karls des Fünften sprach. Über dem "Auvergnatentum" in der ganzen Welt geht die Sonne nie unter.

Die Länder der Auvergne sind Länder voller Überraschungen... Hier gleichen Kirchen Festungen, Stauseen Fjorden, Schlösser einer Fata Morgana, Kühe Lavalitfelsen, Käse Mühlsteinen und Vulkane Kamelhöckern. In der Auvergne hat man ständig den Eindruck, Täuschungen zu erliegen, die sich dann bald wieder in Wirklichkeit umwandeln.

Auch die Gegenwart ist verwirrend. Eine Zeit lang wanderten die Söhne der Auvergne aus, um in der Ferne Abenteuer und Reichtum zu suchen. Heute besteht das Abenteur darin, in der Heimat zu bleiben und erfolgreich zu sein, ohne sein Dorf und die geliebten Berge zu verlassen. Die Auvergne hat ihre Holzschuhe abgelegt. Sie schlug unbefangen gewagte Wege ein, um sich neuen Tendenzen in Landwirtschaft, Handel, Industrie, Kultur und Politik zu öffnen. Mit einem Auge blickt sie auf Paris, mit dem anderen auf New-York. Mit ihren Füßen aber steht sie fest auf der vulkanischen Heimaterde, die wie ein leeres Faß hallt, wenn man auf sie klopft.

Der Auvergnat verarbeitet mit einzigartiger Erfindungskraft die verschiedenen Werkstoffe und Materialien, wie z.B. Kautschuk in Clermont-Ferrand und in Montluçon, Legierungen von Aluminium und Lithium in Issoire. Die Messerschmieden in Thiers stellen Scheren für Kinder her, die keine Unze Metall enthalten. Eine Fabrik im Allier produziert Kondome, die sie wie Konfettis auf den Markt bringt. Ein gerade zur heutiger Zeit wichtiger Artikel, der vor Allem schützen soll, nur nicht vor der Liebe.

A region in Europe

We can speak then of, not just one Auvergne, but of several. As in times past, one referred to the Spains of Charles V. There is no end to the Auvergnat presence throughout the world.

So, Auvergne with an s at the end... and full of surprises... Churches here look like fortresses ; dams, like fiords ; châteaux, like mirages ; cows, like pozzolona boulders ; cheeses, like millstones ; volcanoes, like dromedaries. Auvergne is a whirlwind of visual sensations and impressions.

It is easy also to get confused about the present here. For a long time, Auvergne's sons emigrated to seek adventure and fortune. Today adventure is found by staying put and reaching that same objective without losing sight of the church steeple or the mountains of home. Auvergne has put its wooden clogs in the attic, and is jauntily striding towards the more challenging fields of agriculture, commerce, industry, culture, and politics. With a weather eye on Paris, and another on New York, it has its feet firmly planted on its own volcanic earth which rumbles when shaken like a deep, empty barrel.

With wonderful ingenuity, the Auvergnats can work materials both resistant and delicate - rubber, at Clermont-Ferrand and Montluçon ; lithium aluminum at Issoire ; while cutlers in Thiers make scissors for children without using an ounce of metal, and a manufacturer in the Allier department has showered the market with a little item in great demand at the moment which protects one from everything - except love.

Plaine de la Limagne (Puy-de-Dôme et Allier)
Ebene der Limagne
The Limagne Plain

Une région en Europe

Physiquement, trois sortes de reliefs la composent : les bas, les moyens, les élevés. On peut surprendre bien des gens en leur disant que l'Auvergne possède une des plus basses, des plus plates, des plus fertiles plaines de l'Europe : la Limagne, en forme d'entonnoir, dont l'embout s'enfonce jusqu'au coeur du Massif Central, tandis que son pavillon s'ouvre largement vers le nord. Terres à céréales, à betteraves, à vergers, à vigne sur les coteaux les mieux exposés. Aux marches du Limousin, des plateaux cristallins s'étagent de 500 à 1000 m d'altitude. Leurs sommets arrondis s'habillent de forêts, de landes et de pâturages. Parfois, ils se brisent en des gorges encaissées où ruissellent des torrents poissonneux. Aux portes du Charolais, du Beaujolais et de la Loire, les plateaux se font montagnes. Elles atteignent 1165 m à la Pierre du Jour dans les Monts de la Madeleine, 1634 m à Pierre-sur-Haute dans les Monts du Forez, 1496 m au Mont-Mouchet dans les Monts de la Margeride. Là-dessus se sont installés les massifs volcaniques : Cantal, Monts Dore, Monts Dômes qui culminent au Sancy à 1885 m.
L'ensemble a ses majestés et ses délicatesses. Un lac emprisonné, un torrent libéré, des tapis de bruyères, des ravins torturés, des vallées apaisées. L'eau et le feu se sont mariés pour forger le pays. Et, si Madame de Sévigné y avait ressenti quelques frissons d'horreur, ce ne fût certes pas le cas de l'écrivain guatémaltèque Miguel Angel Asturias, Prix Nobel 1967 qui, un jour, tomba en amour pour l'Auvergne : ''Elle attire, captive, émerveille et, pourquoi pas, envoûte... Quelles belles et magnifiques forêts aux mystères parfois impénétrables !... Quelles majestueuses églises dues à une foi enracinée !... Quelles ineffables rêveries sans limite pour le promeneur attardé !...''

Eine Region in Europa

Die Auvergne besteht hauptsächlich aus drei Landschaftstypen unterschiedlicher Höhenlagen. Es ist weitgehend unbekannt, daß sie eine der fruchtbarsten Beckenlandschaften Europas besitzt, die Limagne. Sie hat die Form eines Trichters, weit geöffnet im Norden, sich verjüngend im Süden, wo sie keilförmig bis ins Herz des Zentralmassivs vorstößt : Anbaugebiet für Getreide und Rüben. An gut exponierten Hängen gedeihen Wein und Obst.
Am Rande des Limousins erheben sich stufenartig Hochflächen zwischen 500 und 1000 Meter Höhe aus kristallinem Gestein mit aufgesetzten, abgerundeten Bergkuppen. Wälder, Heideflächen und Weiden bestimmen diese Hochflächenlandschaft, in die hier und dort tiefe Täler mit fischreichen Wildbächen eingeschnitten sind. Weiter ostwärts, in Richtung Beaujolais und Charolais sowie zur Loire hin, werden die Hochflächen durch reliefstarke Bergmassive abgelöst. Ihre höchsten Erhebungen werden mit dem Pierre du Jour (1165 M) in den Monts de la Madeleine, mit dem Pierre-sur-Haute (1634 M) in den Monts du Forez und mit dem Mont-Mouchet (1496 M) in den Monts de la Margaride erreicht. Westlich der Limagne sind auf dem Plateausockel die eindrucksvollen Vulkanmassive entstanden : der Cantal, die Monts Dore und die Monts Dôme, mit dem höchsten Gipfel, dem Sancy von 1885 Meter Höhe. Ein Landschaftsensemble erlesener und einzigartiger Naturschönheiten : ein sprudelnder Wildbach, Teppiche aus Heidekraut, furchterregende Schluchten und besänftigende Täler. Wasser und Feuer haben hier gemeinsam die Landschaft geformt. Madame de Sévigné verspürte hier Schauder und Entsetzen. Der Schriftsteller und Nobelpreisträger von 1967, Miguel Angel Asturias, erlebte die Auvergne ganz anders und verliebte sich in sie. Er schrieb : "Sie ist anziehend, verlockend, fesselnd, bezaubernd und behexend... Welch schöne und wunderbare Wälder mit undurchdringbaren Geheimnissen !... Welch majestätische Kirchen dank eines tiefen Glaubens !... Welche Quelle unsäglicher und grenzenloser Träumereien für den abendliche Spaziergänger !

A region in Europe

Auvergne is made up of three types of geographical relief : low, intermediate, and high. People are generally surprised to learn that Auvergne has one of the lowest, flattest, richest plains in Europe, the Limagne, shaped like a funnel whose tip sinks down to the heart of the Massif Central, while its mouth opens wide towards the north. Here is land for grain fields, beetroot fields, orchards, and vineyards on the hillsides with suitable orientation. On the outer boundaries of Limousin, terraced crystalline plateaux rise to heights of from 500 to 1000 meters. Their rounded summits are clad in forests, moors, and pastures. Sometimes, they break into deep gorges where torrents abounding in fish flow. At the threshold of the Charolais, Beaujolais and Loire regions, these plateaux become mountains. They reach altitudes of 1,165 m at the Pierre du Jour in the Monts de la Madeleine, 1,634 m at Pierre-sur-Haute in the Monts du Forez ; 1,496 m. at Mont-Mouchet in the Monts de la Margeride. Here settled the volcanic massifs : Cantal, Monts Dore, Monts Dôme, reaching their highest point of 1,886 m. at Sancy.
This series of mountains has its own splendour and refinement. An imprisoned lake, a torrent freed, carpets of heather, twisted ravines, calmed valleys. Water and fire joined together here and from their bond came this land. Madame de Sévigné may have shivered in horror here, but such was certainly not the case for the Guatemalan writer Miguel Angel Asturias, winner of the Nobel Prize in 1967, who one day fell in love with Auvergne, "She attracts you ; captivates you ; fills you with wonder ; and, yes, puts you under a spell... What beautiful, magnificent forests of often unfathomable mysteries!... What majestic churches owing to a deeply implanted faith!... What boundless, ineffable reveries for the evening walker !...

Gorges de l'Allier Saint-Ilpize (Haute-Loire)
Die Schluchten des Allier bei Saint-Ilpize
Gorges of the Allier, Saint-Ilpize

Salers en hiver (Cantal)
Salers im Winter (Cantal)
Salers in winter (Cantal)

Une région en Europe

En quelle saison le poète avait-il parcouru et visité le pays ? Sans doute à l'automne, car c'est sous les ors de septembre et d'octobre que ses beautés s'expriment au plus fort. Il est palette où les sapins verts couronnent le bleu profond des lacs, où le soleil pose l'éclat du diamant sur les bruyères. Plus loin, le roux des feuilles se mêle à l'ocre formant ainsi un tendre costume d'Arlequin.

Passent et meurent les ors et les premières neiges leur succèdent. L'hiver a ses rigueurs et ses bonheurs, ses âpretés et ses joies avec les pistes de ski qui invitent aux descentes et les sentiers qui s'ouvrent sans fin à la randonnée de fond.

Les premiers souffles du printemps essuient les dernières traces de neige ; les coucous d'or font une percée aux flancs des montagnes. L'été éclate dans la gloire de juillet et d'août, avec, parfois, un orage terrifiant qui secoue les volcans endormis : ils tressaillent et semblent vouloir se réveiller.

Eine Region in Europa

Zu welcher Jahreszeit hat der Dichter das Land durchstreift ? Gewiß im Herbst, denn durch das Herbstgold im September und Oktober kommt die Schönheit der Landschaft noch stärker zum Ausdruck. Sie gleicht einer Farbpalette, wo die grünen Tannen das tiefe Blau der Seen umkränzen, und wo die Sonne den diamantenen Glanz über das Heidekraut legt. An anderer Stelle vermischt sich das Rostbraun des Laubes mit Okertönen und gibt der Landschaft die Form eines Harlekinkostüms.

Das Herbstgold vergeht und der erste Schnee fällt. Der Winter zeigt seine strengen und rauhen Seiten. Er beschert aber auch Freuden. Die Hänge laden zum Abfahrtsski und unzählige Wege zum Skiwandern ein.

Der Hauch des Frühlings verwischt die letzten Spuren des Winters. Das Gelb der Dotterblumen durchbricht die kahlen Berghänge. Der Sommer entfaltet sich mit der ganzen Herrlichkeit im Juli und August. Ein schreckliches Gewitter rüttelt manchmal an den eingeschlafenen Vulkanen. Sie zucken auf und man glaubt, sie wollen wieder erwachen.

A region in Europe

In which season did this poet travel around, visiting the area ? In Autumn, no doubt, for it is in the golden tints of September and October that its beauty is most intense. It is a palette where green fir trees encircle the deep blue of the lakes, where the sun casts a diamond sparkle on the heather. Farther away, the russet leaves blend with ochre hues, creating a soft-colored Harlequin costume.

The touches of gold fade and die, and are followed by the first snowfalls. Winter has its harshness and its happiness, its bitterness and its joys, with ski slopes inviting one to go down them and paths lending themselves endlessly to cross-country skiing.

With the first breath of Spring, the last traces of snow are wiped away ; golden cowslips peek out on the mountainsides. Summer bursts into July and August glory, sometimes with violent storms which shake the sleeping volcanoes - they quiver as though trying to awake.

Bocage bourbonnais (Allier)
Typische Weidelandschaft im Bourbonnais
Bourbonnais woodland and pastureland

Génisses de la race charolaise (Allier)
Kälber der Charolais-Rasse
Charolais heifers

17

Une région en Europe

A ces spectacles naturels, l'Auvergne ajoute un programme sans cesse renouvelé de concerts, d'oeuvres théâtrales, chorégraphiques, lyriques, présenté, suivant la saison, en plein air, dans les jardins publics, sur les champs de foire, par cent troupes d'amateurs ou de semi-professionnels comme Les Laquais de Tauves ; ou bien dans des centres de loisirs aux vastes dimensions comme le Grand Casino de Vichy, Athanor de Montluçon, la Maison des Sports de Clermont-Ferrand. Qu'on aille à Salers voir jouer la Comédia Nova sur la place des Templiers ! Qu'on aille au Festival de La Chaise-Dieu dans son énorme basilique ! En quelques années, l'Orchestre d'Auvergne s'est acquis une renommée internationale : on le demande aussi bien à Madrid, à New-York, à Moscou que dans les plus modestes villages auvergnats.

Au XVIIIe siècle, un voyageur parisien, Legrand d'Aussy, découvrit l'Auvergne comme Christophe Colomb découvrit avant lui l'Amérique. Il en tira cette conclusion : par ce qu'elle est, par ce qu'elle produit, l'Auvergne semble avoir été inventée pour faire le bonheur de ses voisins. J'ose prétendre que ce jugement est toujours valable. Mais peu de Français, peu d'Européens, le savent.

Eine Region in Europa

Außer diesem Schauspiel der Natur bietet die Auvergne ein ständig neues Programm an Konzerten, Theater-und Ballettaufführungen an. Je nach Jahreszeit werden diese Veranstaltungen von Amateurkünstlern oder Halb-Profis (z.B. die "Laquais de Tauves") in Freilichttheatern, öffentlichen Parks oder auf Marktplätzen dargeboten. Andere Aufführungsorte sind große Freizeitzentren, wie das Grand Kasino von Vichy, das Athanor in Montluçon oder in die Sporthalle von Clermont-Ferrand. Sehen Sie sich doch die Comedia Nova in Salers auf dem Platz der Tempelritter an ! Besuchen Sie das Festspiel von La Chaise-Dieu in der eindrucksvollen Basilika ! In wenigen Jahren hat das Orchester der Auvergne einen internationalen Ruf erworben. Es wird zu Gastspielen in Madrid, New-York aber auch in den bescheidensten kleinen Dörfer der Auvergne eingeladen.

Der Pariser Reisende Legrand von Aussy entdeckte im 18. Jahrhundert die Auvergne auf ähnliche Art, wie zuvor Christoph Columbus Amerika entdeckt hatte. Er faßte seine Eindrücke wie folgt zusammen : Die Auvergne als solche und das, was sie hervorbringt, kommt mir wie eine sonderbare Erfindung vor, die einmal gemacht wurde, um ihre Nachbarn zu beglücken. Ich wage zu behaupten, daß dieses Urteil von Dauer ist. Leider wissen dies nur wenige Franzosen und auch Europäer.

A region in Europe

To these performances of nature, Auvergne adds its own program, continually renewing its repertoire. Concerts and dramatic choreographed or operatic productions are given outdoors, in public gardens and at fairgrounds depending on the season. These are performed by a hundred different amateur or semiprofessional troupes, such as Les Laquais of Tauves. Productions are also given in much larger recreation centers such as the Grand Casino at Vichy, Athanor in Montluçon, and the Maison des Sports in Clermont-Ferrand. Just go to Salers to see the Comédia Nova given in the open-air Place des Templiers ! Go to the Festival of La Chaise-Dieu held in its huge basilica. In just a few years, the Orchestre d'Auvergne has built up an international reputation - it is in demand in Madrid, New York, and Moscow, as well as in humbler Auvergnat villages.

In the 18th century, a traveller from Paris, Legrand d'Aussy, discovered Auvergne as Christopher Columbus had earlier discovered America. He came to this conclusion - because of what she is, because of what she produces, Auvergne seems to have been created for the delight of her neighbors. I would go so far as to say that his opinion continues to be valid. But few French people, few Europeans, realize it.

A,B - Monts du Cantal
C - Murat (Cantal)

A,B - Berglandschaften der "Monts du Cantal"
C - Blick auf die Stadt Murat

A,B - Cantal mountains
C - Murat

A

B

C

Une région en Europe

Voici qu'elle s'ouvre toute grande à l'Europe et au monde. Reliée à Paris par une ligne ferroviaire toute entièrement électrifiée et par le T.G.V. en l'an 2000 ; par l'autoroute à Paris et Genève, demain à Bordeaux et Barcelone ; par les voies du ciel à Paris, Bordeaux, Lyon, Marseille, Nice, Toulouse, Londres en vols directs ; elle recherche à présent le contact et la communication.

Le vieux château-fort a fait abattre ses murs et comblé ses vieilles douves. Ses quatre départements sont prêts à toutes les rencontres économiques, culturelles ou simplement humaines. Ils savent qu'ensemble ils possèdent de jolis atouts.

Ainsi la Région d'Auvergne est prête à remporter les défis du monde moderne et s'inscrit dès à présent dans une dynamique européenne.

Eine Region in Europa

Die Auvergne lädt Europa ja, die ganze Welt zu sich ein. Sie verfügt über direkte Zugverbindungen nach Paris. Im Jahre 2000 wird auch die Trasse für den Supergeschwindigkeits-Zug (TGV) zur Hauptstadt in Betrieb sein.

Z. Zt. bestehen Autobahndirektverbindungen nach Paris und Genf, in Kürze nach Bordeaux und Barcelona. Per Flugzeug erreichen Sie ohne Zwischenlandung Paris, Bordeaux, Lyon, Marseille, Nizza, Toulouse und London. Die Auvergne sucht nach weiteren Möglichkeiten der Kontakt-und Kommunikationsverbesserungen.

Die alte Festung hat ihre Mauern niedergerissen und den Wassergraben ringsum zugeschüttet. Die vier Departements der Auvergne zeigen eine stetige Bereitschaft für neue wirtschaftliche, kulturelle oder nur rein mitmenschliche Kontakte und Begegnungen. Die vier auvergnatischen Départements zusammen haben alle Trümpfe für die Zukunft in der Hand.

Die Region Auvergne stellt sich den Herausforderungen unserer modernen Umwelt und beteiligt sich schon heute rege am dynamischen Wirtschaftsgeschehen der Europäischen Gemeinschaft.

A region in Europe

And now Auvergne is opening up towards Europe and the world. A completely electrified railway line (and - in the year 2000 - the high speed train "TGV"), provides a link with Paris. Motorways connect Auvergne to Paris and Geneva, and tomorrow - to Bordeaux and Barcelona. And direct flights take off through the skyways for Paris, Bordeaux, Lyon, Marseille, Nice, Toulouse, and London. Now the region is looking for contact and communication.

The old fortress has had its walls torn down and its moat filled-in. Its four departments are ready for all types of exchanges - economic, cultural or simply human. They know that together they have some fine assets.

So the Region of Auvergne is prepared for the challenges of the world of today and from now on is a participant in European dynamics.

Gorges de la Sioule (Allier)
Schluchten der Sioule
Gorges of the Sioule

Forêt de Tronçais (Allier)
Eichenwald bei Tronçais
Tronçais Forest

Viaduc des Fades
Viadukt von Fades
The Fades Viaduct

Chapitre II

Le passé et son héritage

L'Auvergnat prend possession de son domaine au début du quaternaire, au temps du renne et du mammouth. Il s'agit d'un homme véritable, d'un homo sapiens, dont le crâne volumineux loge déjà des méditations, dont le moyen de défense est passé des canines au cerveau. La meilleure preuve : les briques de Glozel, ce hameau situé en bordure de la montagne bourbonnaise. Célèbre pour les objets préhistoriques découverts en 1924, dont l'authenticité ne fait plus aucun doute aujourd'hui, même s'ils sont mal déchiffrés. Ils établissent que l'Auvergnat d'il y a quatre mille ans connaissait déjà l'écriture, peut-être avant le Phénicien !

Les Celtes, eux, arrivent bien plus tard. Ils sont agriculteurs dans les plaines et pasteurs sur les montagnes ou les plateaux. Arvernes - parce qu'ils ont le vergne pour totem, l'arbre dont ils tireront plus tard leurs sabots - ils établissent un empire par leur monnaie, par leur artisanat, par leur commerce. Leur zone d'influence s'étend des Pyrénées jusqu'au Rhin, avec un point capital, le sommet du Mont Dumias, futur Puy de Dôme, sorte de Mecque ibéro-celtique dont le prestige durera plusieurs siècles encore après la conquête romaine.

Celle-ci commence en 59 avant Jésus-Christ. Elle suscite un rassemblement très anarchique des forces gauloises autour d'un jeune chef arverne, Vercingétorix. Jules César l'assiège dans sa ville, Gergovia (probablement sise sur un plateau, au sud-ouest de Clermont-Ferrand, mais certains historiens la placent ailleurs). César est repoussé. Mais il prend sa revanche un peu plus tard devant Alésia où il réduit ses adversaires par la famine. Conduit à Rome, Vercingétorix orne le triomphe de son vainqueur. Puis il meurt dans la prison Mamertine. L'Auvergne se romanise sous la protection du Mercure Dumias dont la statue orne la Montagne Sacrée.

Die Geschichte und ihr Erbe

Zu Beginn des Quartärs, dem Zeitalter der Mammuts und Rentiere, siedelt sich der Auvergnate in seiner jetzigen Heimat an. Als ''Homo Sapiens'' verfügte er in seinem Kopfe schon über ein gewisses Denkvermögen und kannte Überlebensstrategien. Der beste Beweis dafür sind die Tontafeln von Glozel, einem Dörfchen am Rande der Bourbonnais-Berge, das bekannt ist für seine vorgeschichtlichen Funde aus dem Jahre 1924 (trotz der unpräzisen Entzifferung dieser vorgeschichtlichen Gegenstände, wird deren Authentizität heute nicht mehr in Frage gestellt). Die Funde beweisen, daß der Auvergnate vor 4000 Jahren (vielleicht schon vor den Phöniziern) die Schriftzeichen kannte.

Die Kelten kamen viel später hierher. In den Ebenen betrieben sie Landbau, auf den Hochflächen und in den Bergen Viehzucht. Ihr Totemzeichen war die Erle (Frz. vergne), der Baum aus dem sie später die Holzschuhe schnitzten. Sie gründeten ein Reich, das auf einem ausgeprägten Handel und Handwerk mit einem stabilen Geldsystem basierte. Ihr Machtbereich erstreckte sich von den Pyrenäen bis an den Rhein. Die Hauptstadt und wichtigste Kultstätte war der Dumias-Berg, der später Puy-de-Dôme benannt wurde. Er war eine Art Mekka der iberisch-keltischen Kultur, dessen Bedeutung noch einige Jahrhunderte über die römische Eroberungswelle anhält. Die römische Ära beginnt im Jahre 59 vor J.C.. Sie bewirkt eine unorganisierte Ansammlung gallischer Truppen um ihren jungen arvernischen Heerführer Vercingetorix. Julius Cäsar belagerte ihn in seiner Stadt Gergovia, (möglicherweise auf der Hocheben im Süd-Westen von Clermont-Ferrand gelegen, was noch immer von einigen Historikern bestritten wird). Cäsar wurde zurückgedrängt, aber bei Alesia gewinnt er den Gegenstoß und vernichtet seine Feinde, indem er sie aushungert. Vercingetorix wird nach Rom geführt und als Triumph-Symbol seines Besiegers Cäsar zur Schau gestellt. Er stirbt im Gefängnis Mamertine. Die Auvergne nimmt nach und nach die römische Kultur an. Schutzgott ist Merkur Dumias, dessen Statue auf dem ''Heiligen Berg'' stand.

The past and its legacy

The Auvergnat became his own master at the beginning of the Quaternary period, in the day of the reindeer and the mammoth. There was a real man, Homo-sapiens, whose voluminous skull already accommodated thoughts, who for defense depended no longer on his canine teeth, but on his brain. The best proof of this is surely the Glozel bricks from the hamlet of the same name, located at the edge of the Bourbonnais mountain region. It is famous for the prehistoric objects discovered here in 1924, the authenticity of which is no longer discovered there, even if they are poorly deciphered. They confirm that the Auvergnat of four-thousand years ago already knew how to write, perhaps before the Phoenicians !

The Celts arrived much later. They farmed on the plains ; and in the mountains, and on the plateaux, were shepherds. They were Arvernes - because their totem was the vergne (alder), the tree from whose wood they later made their clogs - they established an empire through their currency, their crafts, their trade. Their area of influence stretched from the Pyrenees to the Rhine, with one point of capital importance, the summit of Mont Dumias, the future Puy de Dôme, a sort of Ibero-Celtic Mecca whose prestige was to last for several centuries more the Roman conquest.

This began in 59 B.C. It gave rise to a very anarchistic grouping of Gallic forces under the leadership of a young Arverne, Vercingetorix. Julius Caesar besieged him in his fort, Gergovia (probably located on a plateau southwest of Clermont-Ferrand, but some historians place it elsewhere). Caesar was pushed back. But he took his revenge a little later at Alésia where he diminished his adversaries by starvation. Taken to Rome, Vercingetorix was the finishing touch to his conqueror's triumph. He later died in the Mamertin prison.

Auvergne became Romanized under the protection of Mercurius Dumias whose statue adorns the Sacred Mountains.

Le Lac Pavin (Puy-de-Dôme)
Der See Pavin
Lake Pavin

Torrent
Wildbach
Mountain Stream

23

Le passé et son héritage

Une mise en valeur des terres est entreprise et une concentration de population s'opère sur une butte volcanique. C'est Augustonemetum, autour du Temple d'Auguste. Ce sera Clermont : le Mont Clair, Clarus Mons. Le commerce se développe, poterie et céramique notamment. Les vertus bénéfiques et naturelles des eaux sont vite découvertes et des thermes se construisent çà et là.
Au milieu du troisième siècle, le christianisme est introduit par Saint-Austremoine en Basse-Auvergne. L'évangélisation débute et quelque cent ans plus tard, la région est entièrement convertie.
Mais voici que l'Empire Romain se lézarde. Malgré la farouche résistance de son évêque, Sidoine Apollinaire. Ce Lyonnais marié à une Auvergnate parlait ainsi de sa patrie d'adoption : "Ce pays est si beau que l'étranger risque d'y oublier sa propre patrie !". Le lac d'Aydat garde le souvenir de cet évêque qui y pratiquait la nage et la pêche. Les Alamans d'abord, puis les Wisigoths envahissent l'Auvergne. S'ouvre alors une période de troubles, de crises, de guerres intestines, de brigandages. Tandis que les successeurs de Sidoine se montrent plutôt liges à l'autorité royale, les comtes de Montferrand et les hobereaux de la province la refusent et, pour mieux s'en garder, bâtissent sur les hauteurs des châteaux-forts aux murailles épaisses de deux mètres. Une myriade de monastères et d'abbayes opulentes occupent de leur côté les campagnes.
De cette époque datent aussi les solides églises de granit et d'arkose, peu ouvertes à la lumière extérieure, bien protégées contre les hordes des ennemis de Dieu, aussi bien fortifiées quelquefois qu'un château seigneurial. Qu'on voie par exemple ce qu'il en reste d'authentique dans l'église de Royat.

Die Geschichte und ihr Erbe

Die Inwertsetzung von Landflächen um die Tempelstätte des Augustus (Augustonemetum) hatte die Ansiedlung einer seßhaften Bevölkerung zur Folge. Später wird hier Clermont (lat. Clarus Mons, frz. le Mont clair = der helle Berg) entstehen. Töpferkunst und Keramik entfalten sich und bewirken einen regen Handel. Die wohltuende natürliche Kraft der Heilquellen wurde schnell erkannt. Allerorts erstanden Thermenbäder.
In der Mitte des dritten Jahrhunderts wurde die Niederauvergne von Saint-Austremoine christianisiert. Einige hundert Jahre später war die ganze Region zum Christentum übergetreten.
Das Römische Reich beginnt, trotz des festen Widerstandes seines Bischofs Sidoine Apollinaire, zu zerfallen (der gebürtige Lyoner war mit einer Auvergnatin verheiratet ; er beurteilte seine Wahlheimat folgendermaßen : "Dieses Land ist so schön, daß ein Fremder seine eigene Heimat vergessen könnte !"). Am See Aydat verehrt man heute noch diesen Bischof, der hier badete und angelte. Alemannen und Westgoten fielen in die Auvergne ein. Sie erlebt nun eine dunkle und unruhige Epoche mit Bürgerkriegen und Raubzügen. Sidoine Apollinaires Nachfolger erweisen sich der königlichen Autorität lehnspflichtig. Die Grafen von Montferrand und die Junker der Provinz jedoch verweigern diesen Treuedienst. Um sich besser zu schützen, bauen sie auf den Anhöhen Burgen, die von zwei Meter dicken Mauern umgeben sind. Anderseits roden geistliche Orden große Landstriche und gründen allerorts stattliche Klöster und Abteien.
Aus dieser Zeit stammen auch die "erdverbundenen" Kirchen aus Granit und Arkose, die nur wenig Licht ins Innere durchlassen. Sie ähneln oft Ritterburgen, denn sie dienten dazu, die gläubige Bevölkerung vor einbrechenden gottlosen Horden zu schützen. Einige authentische Überreste der Kirche von Royat veranschaulichen diesen wehrhaften Charakter.

The past and its legacy

The development of these lands was undertaken and a gathering of people started building up on a volcanic mound. This was Augustonemetum, surrounding the Temple of Augustus. It would become Clermont - Mont Clair, Clarus Mons. Trade developed, notably, pottery and ceramics. The natural healing properties of the waters were soon discovered and thermal baths were built here and there.
In the middle of the third century, Christianity was brought to Basse-Auvergne by Saint-Austremoine. Evangelization had begun and some one hundred years later, the whole region was converted.
But then the Roman Empire started to crack, despite the unflinching resistance of its bishop Sidoine Apollinaire (this native of Lyon, married to an Auvergnat spoke thus of his adopted land : "This region is so beautiful that a stranger here could forget his native land !" The Lake of Aydat has not forgotten this bishop who swam and fished here). First the Alamans, then the Visigoths invaded Auvergne. Then came a period of turmoil, of shortages, of internal wars, of banditry. While the successors of Sidoine proved themselves to be faithful to the royal authorities, the Counts of Montferrand and the local squires turned against them ; and to protect themselves, built hilltop - fortresses with walls two meters thick. A myriad of monasteries and opulent abbeys spread over the countryside, clearing the land.
Dating from this period also are the churches constructed of sturdy granite and arkose, with few openings where light could enter, well-protected against the hordes of God's enemies, often as well-fortified as a seigneural château. See for example what remains of the original edifice in the church of Royat.

Vercingétorix (Clermont-Ferrand - Puy-de-Dôme)
Vercingetorix
Vercingetorix

Poteries de Lezoux - Musée Bargoin (Clermont-Ferrand - Puy-de-Dôme)
Töpferkunst aus Lezoux - Museum Bargoin
Lezoux Pottery - Bargoin Museum

Objets préhistoriques
Vorgeschichtliche Funde
Prehistoric objects

25

Le passé et son héritage

Elles appartiennent dans leur majorité à une école qui s'est développée aux onzième et douzième siècles : le roman auvergnat. Sentinelles robustes d'un mouvement original et important de l'art sacré français. Etre romane quand on est église, cela veut dire être reposante et équilibrée. Avoir des solidités, des rapports d'harmonie et d'homogénéité dans les proportions, des simplicités et des rondeurs, des unités, des sobriétés.

La partie la plus remarquable des églises romanes demeure le chevet. Traditionnellement, il s'étage de manière trapue et accrochée pour mieux donner de l'élan au clocher octogonal. Toutes ces églises dont les corniches sont particulièrement brodées et travaillées, épousent un plan-type en forme de croix latine.

Poussons la porte d'un de ces édifices. Traversons le narthex (l'avant-nef). Puis, la grande nef voûtée en berceau et flanquée latéralement, de part et d'autre, de bas côtés et de travées. La voûte du choeur est soutenue par des piliers ronds à chapiteaux historiés, disposés de manière à laisser pénétrer la lumière naturelle par les fenêtres du déambulatoire. Espace demi-circulaire sur lequel se greffent des chapelles rayonnantes, trois à cinq suivant les églises, qui permettent la célébration simultanée de plusieurs offices. Venus ou non pour prier, attardons-nous dans la contemplation des chapiteaux, car ils ont été conçus pour orner et pour enseigner.

Le personnage qu'on y trouve le plus souvent, c'est le diable : les oreilles pointues, le poil hirsute, l'oeil torve, en serpent, en dragon, laissant parfois échapper de sa gueule un arum empoisonné. Ce sont ensuite les saintes légions.

Die Geschichte und ihr Erbe

Die Mehrzahl der hiesigen Kirchen ist im Stil der Auvergnatischen Romanik erbaut worden, die sich im elften und zwölften Jahrhundert entwickelt hat und Ausdruck einer originellen "bodenständigen" Sakralbaukunst Frankreichs ist. Eine romanische Kirche wirkt beruhigend und ausgeglichen. Charakteristische Merkmale sind : breites Mauerwerk, harmonische und homogene Konstruktionsverhältnisse, Einfachheit und Klarheit sowie die Dominanz runder Formeineiten.

Das Merkwürdigste an den romanischen Kirchen ist die Apsis, die relativ gedrungen und niedrig wirkt, so daß der achteckige Glockenturm an Bedeutung gewinnt. Alle diese Kirchen haben reich verzierte Gesimse und den typischen Grundriß des lateinischen Kreuzes.

Öffnen Sie das Portal einer romanischen Kirche ! Gehen Sie durch die Vorhalle in das große gewölbte Hauptschiff, das zu beiden Seiten Joche und niedrige Seitenschiffe besitzt ! Die Chorwölbung wird von runden Säulen mit reich verzierten Kapitellen getragen. Das Tageslicht dringt durch die kleinen Fensteröffnungen der Wandelgänge ein. An die halbkreisförmige Apsis sind je nach Kirchentyp drei bis fünf Kapellen angebaut, so daß mehrere Gottesdienste gleichzeitig zelebriert werden können. Ob Sie hier im Gebet verharren wollen oder nicht, verweilen Sie doch einen Augenblick bei den Kapitellen und betrachten sie genau : Sie sind Zierde und Lehrstücke zugleich.

Die Figur, man am häufigsten vorfindet, stellt den Teufel dar. Spitze Ohren, struppiges Haar, scheeles Auge, verkörpert durch eine Schlange oder einen Drachen, die Gift ausspeien. Die Vielzahl der Heiligendarstellungen ist das zweitwichtigste Motiv.

The past and its legacy

Most of these churches belong to a school which developed in the 11th and 12th centuries - Auvergnat Romanesque ; they are the robust sentinels of an original and important movement in French sacred art. For a church, to be Romanesque means to be restful and balance. It means having a certain solidity, harmony and homogeneity in its proportions, simplicity and fullness, unity, moderation.

The most remarkable element of Romanesque churches remains the apse. Traditionally, this part of the building ascended in a stocky, added-on way to give more height to the octagonal tower. All of these churches, with their particularly elaborate and intricate cornices, follow the same basic design in the form of a Latin cross.

Let us go inside one such edifice, through the narthex (nave antechamber) ; then the long barrel-vaulted nave, flanked on both sides by aisles and bays. The choir vault is supported by cylindrical pillars with iconographic capitals, placed so as to let daylight in from the windows of the ambulatory. Attached to the semicircular ambulatory is a series of radiating chapels, between three and five according to the particular church, which allow for the simultaneous celebration of several services. Whether here to pray or not, let us linger a while to contemplate the capitals, for they were meant to embellish and to instruct.

The figure most often found here, is the devil, rough-haired with pointed ears and scowling eyes, often depicted as a serpent, a dragon, a poison arum springing from his mouth. And after him, a host of saints.

Vue générale du Puy-en-Velay (Haute-Loire)
Blick auf die Stadt Le Puy-en-Velay
Panoramic view of Le Puy-en-Velay

Le passé et son héritage

Comme l'espace des chapiteaux est nécessairement réduit, les personnages se tortillent et se ratatinent : au choeur de Saint-Nectaire, ce sont quatre-vingt-sept étranges gnomes aux têtes hypertrophiées, aux traits épais, barbus, chevelus, campés dans des postures acrobatiques. Ce monde guignolesque grouille au sommet des colonnes. Le Christ porte une mini-croix, les anges soufflent dans des cors qui ressemblent à des bananes ; çà et là, des livres ouverts, des dépliants expliquent le sujet de la composition. Tout cela semble illustrer un récit de Kafka. Et pourtant, à y regarder de près, à lire les brochures, on découvre qu'il s'agit d'une Multiplication des Pains, des scènes de la Passion, d'une Transfiguration.

C'est que la sculpture en Auvergne ne connaît pas les raffinements de la bourguignonne, de la poitevine, de la languedocienne. Cela tient à la dureté du matériau, granit ou lave, qui ne se laisse pas travailler comme les calcaires de Vézelay. Et puis, dans ces petits bonshommes trapus, émouvants de rusticité, les tailleurs d'images auvergnats se représentaient eux-mêmes, d'instinct. Ils ignoraient l'art d'embellir. Ils étaient capables cependant de sensibilité : qu'on regarde, toujours à Saint-Nectaire, le Christ descendu aux enfers, parmi les âmes suppliciées. La détresse d'Adam et d'Eve qui s'accrochent à ses jambes, son geste de secours, sont bouleversants.

En Haute Auvergne, le roman est presque partout contaminé de gothique. Le plus pur exemplaire est l'église de Mauriac, Notre-Dame-des-Miracles, avec ses deux clochers carrés, son clocher octogone, ses trois nefs et ses trois absides. Parfois, les églises de village comportent un clocher à peigne : entre ses dents, à l'heure des carillons, on voit les cloches se dandiner.

Die Geschichte und ihr Erbe

Da der Platz auf den Kapitellen sehr beschränkt ist, winden und krümmen sich die kleinen Figuren. Im Chor der Kirche von Saint-Nectaire sind nicht weniger als siebenundachtzig sonderbare Gnome mit übergroßen Köpfen, groben Geschichtszügen, bärtig und behaart, in einer akrobatischen Stellung zu sehen. Ein ganzes Volk zwergenhafter Gestalten, das auf den Kapitellen der Säulen herumwimmelt. Christus trägt ein kleines Kreuz, die Engel blasen in-Hörner, die wie Bananen aussehen. Da und dort liegen aufgeschlagene Bücher und Prospekte, die die Themen der Skulpturen erklären. Man glaubt zunächst, es handelte sich um Illustrationen zu Kafkatexten. Bei genauerem Hinschauen und nach einer Lektüre der Broschüren entdeckt man jedoch, daß es sich um biblische Darstellungen handelt, wie z.B. um eine Szene aus der Wunderbaren Brotvermehrung, der Leidensgeschichte oder der Verklärung Christi. Bildhauerarbeiten aus der Auvergne tragen im Detail nicht jene feinen Züge, wie Skulpturen aus dem Burgund, dem Poitou oder dem Languedoc. Das hängt auch mit der Härte des Materials zusammen. Granit und Lavastein lassen sich nicht so leicht behauen wie der Kalkstein aus Vézelay. Ferner schufen die auvergnatatischen Steinmetze in diesen kleinen und gedrückten Gestalten voller grober Züge instinktiv ihre Ebenbilder. Das Feine und Zierliche in der Bildhauerkunst war ihnen fremd. Trotzdem drücken ihre Werke Gefühle voll aus, wie ein weiteres Beispiel aus der Kirche von Saint Nectaire zeigt. Christus, der in die Hölle zu den flehenden Seelen absteigt, die Pein von Adam und Eva, die sich an Christus Füße klammern, kurz, eine beeindruckende Gestik.

In der Haute Auvergne ist die romanische Baukunst fast überall von der gothischen beeinflußt. Ein typisches Beispiel dafür ist die Kirche von Mauriac Notre-Dame-des-Miracles. Sie besitzt zwei viereckige und einen achteckigen Turm, drei Längsschiffe und drei Apsiden. Mitunter haben die Dorfkirchen lediglich einen erhöhten Mauerbau, zwischen deren Zinnen man die Glocken sich bei gegebener Stunde hin-und herschwenken sieht.

The past and its legacy

As the available space on the capitals is, by necessity, restricted, these figures writhe and curl up - in the choir of Saint-Nectaire, eighty-seven strange gnomes with enlarged heads and thick features, bearded and hairy, are portrayed in acrobatic positions. This burlesque multitude swarms at the top of the columns. The figure of Christ bears a mini-cross, angels blow on horns which look like bananas ; here and there, open books and leaflets explain the subject of the composition. It all looks like illustrations for a story by Kafka. Yet, upon closer inspection, by reading the brochures, it becomes clear that these are the Miracle of the Loaves and Fishes, scenes of the Passion, the Transfiguration.

For sculpture in Auvergne had none of the refinement of that in Burgundy, Poitou, or Languedoc. This is because of the hardness of the material, granite or volcanic stone, which could not be worked as the limestone of Vézelay. And then, in these stocky little fellows, endearing by their awkwardness, the Auvergnat carvers of images instinctively represented themselves. They knew nothing of the art of ornamentation. But they did have feelings of sensitivity . Take for example, once again at Saint-Nectaire, the figure of Christ descended into hell, among the tortured souls ; the anguish of Adam and Eve clinging to his legs, his gesture of succor, are deeply moving.

In Haute Auvergne, nearly everywhere, Romanesque has been mixed with Gothic. The purest example is the church of Mauriac, Notre-Dame-des-Miracles, with its two square towers, its octagonal tower, its three naves, and its three apses. Sometimes, village churches have comb-like bell towers - through whose teeth the bells can be seen swinging to-and-fro as they chime.

Le Château de Tournoël (Puy-de-Dôme)
Schloß Tournoël
The Château of Tournoë

Le Château de Domeyrat de nuit (Haute-Loire)
Schloß Domeyrat bei Nacht
The Château of Domeyrat by night

Le passé et son héritage

Le gothique est en Auvergne de pure importation. Il a donné la cathédrale de Clermont-Ferrand, Notre-Dame-de-Prospérité à Montferrand, trois Saintes-Chapelles : à Riom, à Aigueperse et à Vic-le-Comte ; le Marthuret riomois avec son exquise Vierge à l'Oiseau (mais dont le sourire est importé de Reims) ; les églises d'Ambert, de Chanteuges, de La Chaise-Dieu ; le chœur d'Ennezat, les nefs de Manglieu et de Mozac. Dans le Cantal, la cathédrale de Saint-Flour et la Halle au blé, fâcheusement détournée de sa destination ; les églises d'Aurillac, de Villedieu, de Sansac, de Saint-Martin-Valmeroux. La cathédrale du Puy est une anthologie de tous les styles, y compris le byzantin. Tout cela, pour l'essentiel, édifié avec la belle pierre sombre extraite des volcans, basalte, andésite, qui confère aux églises gothiques d'Auvergne un air de veuves andalouses.
En même temps qu'il s'échinait à construire ces maisons du Bon Dieu, le pauvre vilain du Moyen Age s'usait les poings à tailler des moëllons pour bâtir les maisons de ses maîtres. Ainsi, l'Auvergne se constella de châteaux-forts. Certains ont entièrement disparu ; on a même quelque peine à croire à leur existence, tant leurs accès étaient impossibles. D'autres subsistent, peu ou prou. Les siècles ont grignoté leurs murs, mangé les remparts, dévoré leurs tours.
Belles ruines cependant où errent encore les fantômes des anciens maîtres. Ainsi, dans l'Allier : Bourbon-l'Archambault, berceau des Rois de France, Hérisson, Murat, Huriel.
Dans le Puy-de-Dôme : Tournoël et son superbe donjon carré, Mauzun qui appartint aux évêques et qu'ils abandonnèrent faute de pouvoir l'entretenir, Busséol, admirablement restauré. Dans le Cantal : Alleuze, ancien repaire d'un Méchant Bossu, Cropières où naquit la malheureuse Marie-Angélique de Fontanges et qui n'est plus qu'une ferme. En Haute-Loire : Polignac dresse toujours son donjon sur sa table basaltique.

Die Geschichte und ihr Erbe

Die gothische Baukunst in der Auvergne wurde von auswärts eingeführt. Beispiele für diesen Baustil sind : die Kathedrale in Clermont-Ferrand, Notre-Dame-de-Prospérité in Montferrand, die drei Heiligenkapellen in Riom, Aigueperse und Vic-le-Comte. Ein besonderes Zeugnis dieser Epoche ist die "Madonna mit dem Vögelein" in Riom. Das Lächeln der Gottesmutter ist nachweislich der Schule von Reims abgesehen worden. Weitere Kirchen dieses Stils befinden sich in den Städten Ambert, Chanteuges, La Chaise-Dieu, Ennezat, Manglieu und Mozac. Im Departement Cantal sind es die Kathedrale in Saint-Flour und die Getreidehalle (man hat sie leider heute zweckentfremdet) sowie die Kirchen in Aurillac, Villedieu, Sansac und Saint-Martin-Valmeroux. Die Kathedrale von le Puy ist eine Anthologie aller Baustile, sogar des byzantinischen. Gemeinsames Merkmal der oben aufgezählten Kunstdenkmäler ist ihr Baumaterial, der Basalt oder Andesit, dunkle vulkanische Ergußgesteine. Sie verleihen den gothischen Kirchen der Auvergne ein trauriges Aussehen, vergleichbar dem einer andalusischen Witwe.
Während sich ein Teil der Bevölkerung im Mittelalter abschindete prächtige Gotteshäuser zu bauen, quälten sich die armen Bauern damit ab, Bausteine für die befestigten Güter ihrer Landesherren zu hauen. Es gab eine erhebliche Zahl an Wehrburgen. Viele sind heute vollständig dem Boden gleich. Wenn man so manche abgelegenen Standorte sieht, zweifelt man an der früheren Existenz einer Burg. Der Zahn der Zeit nagte an ihrem Mauerwerk, fraß die Bollwerke und verschlang ganze Wehrtürme. Überall stehen noch eindrucksvolle Ruinen, in denen noch die Geister der ehemaligen Burgherren umherirren.
So z.B. im Departement Allier : Bourbon-l'Archambault, Stammsitz der französischen Könige, Hérisson, Murat und Huriel. Im Puy-de-Dôme : Tournoël mit dem imposanten viereckigen Schloßturm und das bemerkenswert restaurierte Busséol sowie Mauzun. Dieses Anwesen war bis vor kurzem im Besitz der Bischöfe, wurde aber mangels Geldmittel von ihnen aufgegeben. Im Departement Cantal liegen Aleuze, früher ein Schlupfwinkel eines berüchtigten bösen Buckeligen sowie Cropières, wo die unglückseelige Marie-Angélique de Fontanges das Licht der Welt erblickte und wo heute nur noch ein einfaches Bauernhaus steht. Im Departement Haute-Loire erhebt sich stolz über dem tafelartigen Basaltsockel der Turm des ehemaligen Schlosses Polignac.

The past and its legacy

The Gothic style is a purely imported product in Auvergne. It inspired the cathedral of Clermont-Ferrand ; Notre-Dame-de-Prospérité at Montferrand ; three Sainte-Chapelles - at Riom, Aigueperse, and Vic-le-Comte ; the Marthuret of Riom, with its superb Vierge à l'Oiseau (Virgin with Bird) - whose smile though was imported from Reims ; the churches of Ambert, of Chanteuges, of La Chaise-Dieu ; the choir of that of Ennezat ; and the naves of those of Manglieu and Mozac. In the department of Cantal, the cathedral of Saint-Flour and the corn-market, the Halle au Blé - unfortunately not used as originally intended - are examples of Gothic influence as are the churches of Aurillac, Villedieu, Sansac and Saint-Martin-Valmeroux. The cathedral of Le Puy is an anthology of all styles, including Byzantine. Most of these were built with the beautiful dark stone extracted from volcanoes - basalt, andesite - which gives the Gothic churches of Auvergne the look of an Andalusian widow.
At the same time as they were breaking their backs to build the houses of the Lord, the poor villeins of the Middle Ages were also working their fingers to the bone to fashion the stones used for building the houses of their masters. Thus, the countryside of Auvergne was dotted with fortresses. Some have left no trace ; so difficult were they to reach, that even their existence seems hard to believe. Others have remained to a certain extent. Time has nibbled at their walls, eaten away at their ramparts, devoured their towers. Still, there are ruins fine enough for the ghosts of the former masters who continue to roam there. Fortress ruins can be found in the department of Allier - Bourbon - l'Archambault, birthplace of the Kings of France ; Hérisson ; Murat ; Huriel. In the Puy-de-Dôme department - Tournoël, with its superb square keep ; Mauzun which belonged to the bishops - but was abandoned by them due to lack of resources for its maintenance ; and Busséol, beautifully restored. Other examples can be seen in the Cantal department - Alleuze, once the hideaway of a Wicked Hunchback ; Cropières, where the unfortunate Marie-Angélique de Fontanges was born, is now no more than a farm. And in the Haute-Loire, the keep of Polignac still stands upon its basaltic plateau.

La Roche Lambert (Haute-Loire)

Montluçon (Allier)

Anjony (Cantal)

Val (Puy-de-Dôme)

La Palisse (Allier)

Moulins (Allier)

Le passé et son héritage

Le temps, les Anglais, la guerre de Cent ans, l'abandon, ne sont pas seuls responsables de ces ruines. Richelieu fit démolir un très grand nombre de ces résidences. Certaines rivalisaient par leur faste avec les maisons royales : ainsi les châteaux de Moulins ou de Riom dont il ne reste qu'une tour (la Mal-Coiffée) ou qu'une Sainte-Chapelle. La Révolution en brûla, en mutila d'autres. Il est miraculeux que tant aient survécu. En Bourbonnais : Toury bâti par les fées, dit-on, en une seule nuit, Beauvoir, Jaligny, Vieux-Chambord où vint s'asseoir Henri IV, Lapalisse au "pays des vérités", Saint-Augustin dont le parc a été transformé en réserve zoologique, La Baume, Pomay, qui hébergea Fouquet et Mme de Sévigné, Ségange qui garde le souvenir d'Anne de Bretagne et d'Anne de France, Saint-Bonnet-de-Rochefort et Chouvigny où Mme de La Fayette écrivit peut-être "La Princesse de Clèves", Fourchaud, imposant et massif, Bost avec ses tours, ses clochetons, ses pigeonniers, Le Plessis qui avait réputation d'être imprenable, Busset dans la Montagne Bourbonnaise ; le château de Montluçon se complète par un beffroi et une curieuse halle à pans de bois ; Effiat où naquit Henri de Cinq Mars, favori de Louis XIII et La Roche où vécut Michel de l'Hospital, apôtre de la tolérance.
En Basse Auvergne, Davayat, dans la Montagne de Riom, appartint au Chevalier de Saulieu, compagnon de La Fayette, Chazeron remanié au XVIIe siècle espérait la venue du Roi Soleil, Ravel vit naître l'Amiral d'Estaing et mourir son fils unique, tombé d'une fenêtre, Aulteribe et son splendide mobilier se dévoue à la musique de Georges Onslow, La Bâtisse près de Chanonat a un beau jardin en terrasse, Cordès près d'Orcival contient la pierre tombale du Maréchal d'Allègre tué à Ravenne, Parentignat, palais des merveilles par ses richesses intérieures, Villeneuve-Lembron, célèbre pour sa fabuleuse collection de cornes, Chavaniac, berceau de La Fayette.

Die Geschichte und ihr Erbe

Nicht allein Witterungseinflüsse und Verwahrlosung, der Hundertjährige Krieg und die Engländer haben die Schlösser und Burgen zerstört, auch Richelieu hat manches erhabene Bauwerk schleifen lassen. Darunter befanden sich Schlösser, die den kö niglichen in keinster Weise an Prunk nachstanden, wie z.B. das Schloß in Moulins oder Riom. In Moulin steht heute nur noch der Schloßturm (La Mal-Coiffée), in Riom eine Heiligenkapelle. Burgen und Schlösser im Bourbonnais : Toury, das von Feen in einer Nacht erbaut wurde ; Beauvoir, Jaligny und Vieux-Chambort, wo Henrich IV abstieg ; Lapalisse im "Land der Wahrheit" ; Saint-Augustin, dessen Park heute ein zoologischer Garten ist. Da liegt auch das Schloß La Baume. Im Pomay weilten Fouquet und Mme de Sévigné. In Segange werden Erinnerungen an Anne de Bretagne und Anne de France wach. Auf Saint-Bonnet-de-Rochefort und Chouvigny hat wahrscheinlich Madame de La Fayette "Die Prinzessin von Kleve" verfaßt. Fourchaud fällt durch seine wuchtige und massive Bauweise auf, Bost den Ruf durch seine vielen Türme. Le Plessi hatte einer uneinnehmbaren Festung. In den Bergen des Bourbonnais liegt Busset. Das Schloß von Montluçon hat einen unübersehbaren Wachturm und eine eigenartige Holzverkleidung in seiner Eingangshalle. In Effiat lebte Michel de l'Hospital, der Apostel der Toleranz.
Hier wurde auch Henry de Cinq Mars, ein Günstling Ludwigs XIII und La Roche's, geboren.
In der Basse Auvergne befinden sich : In den Bergen bei Riom Schloß Davayat, das dem Ritter de Saulieu, einem Gefährten von La Fayette gehörte. Chazeron wurde im 17. Jahrhundert umgebaut, weil man auf die Ankunft des Sonnenkönigs hoffte. Ravel ist das Geburtshaus des Admirals d'Estaing, dessen einziger Sohn hier aus dem Fenster stürzte und an den Folgen erlag. Aulteribe ist ein Anwesen mit sehr wertvollem Mobilar und der Musik von Georges Onslow verbunden. Die Burg von Chanonat besitzt einen reizvollen Terrassengarten. Auf Cordes bei Orcival steht das Grabmal des Marschalls d'Allègre, der in Ravenna gefallen ist. Das Schloß von Parentignat ist für seine guterhaltenen Innenausstattung bekannt, Villeneuve-Lembron für seine fabulöse Geweihsammlung. Auf Chavignac stand die Wiege des Generals La Fayette.

The past and its legacy

It was not only the passage of time, the English, the Hundred Years War, and abandonment which reduced them to ruins. Richelieu had a great many of these residences destroyed. Some of them rivalled royal dwellings by their splendor - this was the case of the châteaux of Moulins and Riom of which there remains respectively a tower (the Mal-Coiffée, or "Badly Coiffed") and a Sainte-Chapelle. The Revolution was responsible for the burning and mutilation of others. It is a miracle that so many did survive. Still standing in the Bourbonnais region are Toury, built by fairies, as the story goes, in a single night ; Beauvoir ; Jaligny ; Vieux-Chambord, where Henry IV established himself ; Lapalisse in the "land of truths" ; Saint-Augustin whose grounds have been transformed into a zoological reserve ; La Baume ; Pomay, which was to shelter Fouquet and Madame de Sévigné ; Ségange, with memories of Anne de Bretagne and Anne de France ; Saint-Bonnet-de-Rochefort and Chouvigny, which may be where Madame de La Fayette wrote "La Princesse de Clèves" ; Fourchaud, an imposing and massive construction ; Bost, with towers, pinnacles and pigeon lofts ; Le Plessis, said to be impregnable ; Busset in the Montagne Bourbonnaise region ; the château of Montluçon, complete with a belfry and an unusual wood-panelled hall ; Effiat, where Henri de Cinq Mars, favorite of Louis XIII, was born ; and La Roche, where Michel de l'Hospital, apostle of tolerance, was born. Châteaux in Basse Auvergne - Davayat, in the mountains of Riom, belonged to the Chevalier de Saulieu, companion of La Fayette ; restructured in the 17th century, Chazeron anticipated the arrival of the Sun-King ; Ravel, birthplace of Admiral d'Estaing whose only son died there by falling from a window ; Aulteribe with splendid furnishings, has devoted itself to the music of Georges Onslow ; La Bâtisse, near Chanonat, has a lovely terraced garden ; Cordès, near Orcival, is the site of the tombstone of Maréchal d'Allègre, killed in Ravenna ; Parentignat, a palace of wonders because of the riches it houses ; Villeneuve-Lembron, famous for its fabulous collection of horns ; and Chavaniac, birthplace of La Fayette.

Blaise Pascal

La Fayette

Le passé et son héritage

En Haute Auvergne, soixante-dix châteaux s'échelonnent en arcs de cercle au pied du socle volcanique. Près d'Aurillac, Anjony avec ses quatre tours aussi parfaites que celles du jeu d'échecs. Près de Mauriac, Auzers et la Vigne, du XVᵉ siècle, avec leurs toitures de lauzes. Sur la Vallée de la Cère, Pesteils et la devise de ses propriétaires : "Servire Deo regnare est (Servir Dieu, c'est participer à son règne)". Plus "auvergnate" est celle de Messilhac : "Qui vient céans et rien ne porte - Soit diligent passer la porte" ; Saillant, Saint-Chamant, Anterroches, Beinay, Sartiges sont un amalgame de tours carrées et de tours rondes dont le rude basalte s'humanise en automne sous les rougeurs de la vigne vierge.

Le Velay s'enorgueillit de Lavoûte-Polignac où sont rassemblés les souvenirs de Yolande de Polignac, amie intime de Marie-Antoinette ; de La Roche-Lambert dissimulé comme le château de la Belle au Bois Dormant sur la rive droite de la Borne ; Vachères au sud-est de Monastier-sur-Gazeille est resté forteresse.

Sous l'autorité de leurs consuls et de leurs échevins, les bourgeois des villes construisirent de leur côté de superbes hôtels. Ainsi se forma une architecture civile auvergnate particulièrement éclatante à Salers, perle de la Haute Auvergne, à Saint-Flour, à Aurillac, à Vic-sur-Cère. Le vieux Thiers offre ses rues étroites, ses maisons à colombages, à encorbellements, à façades sculptées, son "château" du Pirou.

Montferrand, dans le même style, a ses "maisons" particulières : de Lucrèce, du Notaire, des Centaures, de l'Eléphant, d'Adam et Eve, de l'Apothicaire, de La Chanterie, de l'Annonciation. Sa rivale et associée, Clermont, a la Maison des Architectes, ses hôtels de la rue du Port et de la rue Pascal dont celui de Chazerat. A Riom-le-Beau, fier de son beffroi et de ses fontaines, on verra la Maison des Consuls, l'Hôtel de Ville, l'Hôtel Guimoneau. D'autres beffrois à Besse, Châteldon, Moulins avec leurs horloges et leurs jacquemarts. D'anciennes portes, restes de remparts disparus, s'ouvrent encore à Charroux, Chatelperron, Ainay-le-Château, Montaiguet. Le Puy a sa tour Panessac, dernier vestige de ses dix-huit portes fortifiées à tours jumelles et sa maison des Cornards.

Die Geschichte und ihr Erbe

In der Haute Auvergne reihen sich siebzig Schlösser in Regenbogenform am Fuße des Vulkansockels aneinander. Das Schloß Anjony bei Aurillac fällt durch seine vier Türme auf, die so aussehen, als wären sie aus einem Schachspiel. Auzers und la Vigne bei Mauriac aus dem 15. Jahrhundert haben kunstvolle Naturschieferdächer. Pesteils im Cère-Tal trägt die Inschrift : "Servire Deo regnare est". Für die Auvergne, deren Bewohner als Geizhälse bekannt sind, ist der Türspruch von Messilhac typischer. Er lautet : "Qui vient céans et rien ne porte - Soit diligent passer la porte" - Wer ohne Gabe kommt, soll schleunigst wieder zur Tür hinaus.

Die Schlösser in Saillant, Saint-Chamant, Anterroches, Beinay und Sartiges besitzen ein eigenartige Architektur mit einer Vielzahl viereckiger und runder Türmchen aus rohem Basaltgestein, das im Herbst mit den bunten Farben der Blätter des Wilden Weins weiche Züge annimmt. In Velay ist man stolz auf Schloß Lavoûte-Polignac, weil dort viele Erinnerungs-stücke von Jolande de Polignac, der engsten Freundin Marie-Antoinette's, aufbewahrt sind. Schloß La Roche-Lambert gleicht dem Dornröschenschloß, so versteckt liegt es am rechten Ufer der Borne. Vachère, südöstlich von Monastier-sur-Gazeille, hat noch gänzlich seinen Festungscharakter behalten.

Unter der Hoheit von Stadtverwaltern und Schöffen ließen reiche Bürger aufwendige Herrenhäuser bauen. Es entstand eine eigene bürgerliche Architektur, die besonders markant in den Städten Salers, der Perle der Haute Auvergne, in Saint-Flour, in Aurillac und Vic-sur-Cère, ausgeprägt ist. Die Altstadt in Thiers mit ihren engen Gäßchen schmücken kunstvoll gestaltete Fachwerkhäuser und das sogenannte "Schloß von Pirou". Auch in Montferrand findet man Herrenhäuser vergleichbarer Architektur, wie z.B. das Haus Lucretia, des Notars, des Zentauren, des Elefanten, das Haus Adam und Eva, des Apothekers, des Gesangs und der Verkündigung. Clermont, einst Rivalin von Montferrand und heute mit ihr administrativ verbunden, besitzt das Haus der Architekten sowie weitere sehr sehenswürdige Herrenhäuser in der Rue du Port und der Rue Pascal mit dem Haus Chazerat. Riom-le-Beau ist stolz auf seinen Wachturm, die zahlreichen Brunnenanlagen, das Herrenhaus der Konsule, das Rathaus und das Anwesen Guinomeau. Gut erhaltene Wehrtürme befinden sich noch in den Städten Besse, Châteldon, und Moulins. Der Turm von Moulins beherbergt ein bekanntes Glockenspiel. In Charroux, Châtelperron, Ainay-le-Château und Montaiguet zeugen Stadttore von dem Ausmaß früherer Befestigungsanlagen. In le Puy ist der Turm Panessac der letzte Überrest der ehemals achtzehn befestigten doppeltürmigen Stadttore. Hier steht auch das berühmte Haus der "Gehörnten" (hintergange Eheleute).

The past and its legacy

In Haute-Auvergne, seventy châteaux spread out in the shape of the arc of a circle at the foot of the volcanic platform. Near Aurillac, stands Anjony with four towers as perfect in form as rooks in a chess set ; near Mauriac, Auzers and La Vigne, dating from the 15th century, with stone slab roofs. Along the Vallée de la Cère, is the château of Pesteils displaying the motto of its proprietors : "Servire Deo regnare est". More "Auvergnat" is the motto of Messilhac : "Whosoever comes to this house bearing nothing - make haste and pass on". Saillant, Saint-Chamant, Anterroches, Belnay and Sartiges together form a mixture of square towers and round towers whose rough basalt is softened in autumn by the redness of the Virginia creeper. The proud possessions of Le Velay are the châteaux of Lavoûte-Polignac, where keepsakes of Yolande de Polignac, intimate friend of Marie-Antoinette, are gathered ; and La Roche-Lambert, hidden like the château of Sleeping Beauty on the right bank of the Borne. Vachères, southeast of Monastier-sur-Gazeille is still an exemplary fortress.

Under the rule of consuls and local officials, the bourgeois of the cities built their own superb mansions. In this way, a particularly spectacular type of civil architecture developed at Salers, the gem of Haute-Auvergne, at Aurillac, and at Vic-sur-Cère. In Thiers, the old district displays narrow streets, half-timbered houses, and others of corbelled construction or with sculptured facades, and the "château" de Pirou.

Similarly, Montferrand has a number of such residences, or "Houses" - that of Lucretia, of the Lawyer, of the Centaurs, of the Elephant, of Adam and Eve, of the Apothecary, of the Parish Choir, and of the Annunciation. Clermont, both rival and associate of Montferrand, has its House of the Architect, its mansions of Rue du Port and Rue Pascal which include that of Chazerat. Riom-le-Beau, proud of its belfry and fountains, also has a House of the Consuls, the Hôtel de Ville (town hall) and the Guimoneau Mansion. Other belfries, with Jack-o'-the-Clocks to strike the hours, can be seen at Besse, Châteldon, and Moulins. Old gateways, which were part of the ramparts, still open on to Charroux, Châtelperron, Ainay-le-Château, and Montaiguet. At Le Puy, the Panessac tower is the last remaining trace of the eighteen fortified gates with twin towers ; here also is the house of the Cuckolds.

Cathédrale du Puy (Haute-Loire)
Kathedrale von Le Puy
The Cathedral at Le Puy

Saint-Michel d'Aiguilhe (Haute-Loire)
Saint-Michel von Aiguilhe
Saint-Michel of Aiguilhe

Le passé et son héritage

Et l'Histoire continue. Longtemps marquée par la lutte entre le pouvoir royal et les féodaux. Louis XIII et son ministre-cardinal finissent par imposer leur paix. Ils marient de force Clermont et Montferrand.

De grands intendants, Trudaine, Ballain-villiers, Montyon, Chazerat peuvent alors remettre de l'ordre dans la maison.

Des routes sont ouvertes, des marais asséchés, des ponts construits et le thermalisme abandonné depuis les Romains reprend vigueur.

La région n'est, en fait, que peu agitée par la Révolution. Paris est loin, les nouvelles lentes à venir. La province est découpée en trois départements : le Puy-de-Dôme, le Cantal et la Haute-Loire. Si la population des villes accepte assez bien les changements défendus par La Fayette, Georges Couthon, Gilbert Romme, Gaultier de Biauzat, celle des campagnes se montre plus réticente.

De nombreuses chouanneries éclatent çà et là, rapidement étouffées par les forces jacobines.

Sous le Directoire et le Consulat, on respire un peu. Après avoir fourni à la Révolution quelques-uns de ses chefs les plus audacieux, lasse du sang versé, l'Auvergne adhère massivement à l'Empire.

Jusqu'à la première guerre mondiale, la province s'alignera de même derrière le pouvoir. Encadrée par ses prêtres, ses hobereaux, ses superstitions, son ignorance, elle fournira ce qu'on lui demandera en argent, en conscrits, en approbations électorales, même s'il lui arrive de produire quelques opposants de modeste envergure. Chez elle, les révolutions de 1830, 1848, 1871, n'ont guère de retentissement. La fronde, quand elle existe, ne s'y exprime pas sur les barricades, mais au cours de banquets où le feu des discours est très vite éteint par la fraîcheur des vins.

Die Geschichte und ihr Erbe

Die Geschichte bleibt nicht stehen. Der Streit zwischen dem Königshaus und den Lehnsherren der Auvergne hielt lange an. Erst Ludwig XIII. und sein Kardinal-Minister führten den Frieden herbei. Sie vermählten unter Zwang die selbständigen Städte Clermont und Montferrand. Große Gebietsverwalter, wie Trudaine, Ballainvilliers, Montyon und Chazerat brachten Ordnung ins Land.

Ein reger Straßen-und Brückenbau setzt ein ; Sumpfgebiete werden trockengelegt. Die seit der Römerzeit nicht mehr benutzten Termalquellen werden wieder aufgenommen.

Von der Französischen Revolution wurde die Region Auvergne nur wenig in Mitleidenschaft gezogen. Paris ist weit entfernt, und die Neuigkeiten treffen nur langsam ein. Die Provinz wird in drei Departements aufgeteilt, den Puy-de-Dôme, den Cantal und die Haute-Loire. Wenn auch die Stadtbevölkerung für die von La Fayette, Georges Couthon, Gilbert Romme und Gaultier de Biauzat vorgeschlagenen Veränderungen relativ offen ist, so steht die Landbevölkerung diesen eher zurückhaltend gegenüber. Die zahlreichen Bauernrevolten, die hier und da ausbrachen, wurden schnell von den Jakobinern im Keim erstickt.

Unter Direktorium und Konsulat konnte die Auvergne etwas aufatmen. Sie hatte tapfere Revolutionsanführer hervorgebracht und war nun müde, das Blut ihrer Söhne weiter zu vergießen, so daß sie hinter dem Kaiserreich Napoleons stand. Bis zum ersten Weltkrieg fügte sich die Auvergne der politischen Obrigkeit. Priester und Junkertum, Aberglaube und Unwissenheit prägten die Bevölkerung und diese gab dem Reich, was man von ihr verlangte : Steuergelder, Rekruten, Wahlzustimmungen, selbst wenn es in ihren Reihen auch bescheidene Regimegegner gab. Die Revolutionen von 1830, 1848 und 1871 verliefen hier verhältnismäßig ruhig. In der Auvergne wird Unmut nicht auf den Barrikaden ausgefochten, sondern um eine reich gedeckte Tafel, wo hitzige Streitgespräche schnell mit einem kühlen Wein gelöscht werden.

The past and its legacy

And so History went on, through a period of time marked by the struggle for power between royal authorities and feudal lords. Louis XIII and his cardinal-minister were finally able to impose peace. They forced the union of Clermont and Montferrand.

Great administrators such as Trudaine, Ballainvilliers, Montyon and Chazerat then began to get things organized.

Roads were opened ; marshes, drained ; bridges were built ; and the thermal spas, which had fallen into oblivion since Roman times, were revitalized.

The region was in fact only slightly shaken by the Revolution. Paris was distant and news slow to arrive here. The province was divided into three departments : the Puy-de-Dôme, the Cantal, and the Haute-Loire. While the people of the cities were fairly open to the changes proposed by La Fayette, Georges Couthon, Gilbert Romme and Gaultier de Biauzat, those in the country showed more reticence.

Numerous royalist uprisings broke out here and there, but were rapidly put down by Jacobin forces.

Under the rule of the Directoire and the Consulate, things eased up. Having given the Revolution some of its most daring leaders, and weary of bloodshed, Auvergne joined the Empire en masse.

Up to the time of the First World War, the province was to continue to fall into line behind its rulers. Guided by its priests, its squires, its superstitions, and its naiveté, it responded to all demands for money, conscripts, electoral support, even if the occasional show of modest opposition did spring from within its boundaries. Here, the revolutions of 1830, 1848, and 1871 went virtually unnoticed. The spirit of revolt, when it did exist, was not expressed at the barricades, but during banquets where fiery discussions were quickly extinguished by the coolness of the wines.

Notre-Dame d'Orcival (Puy-de-Dôme)
Notre-Dame in Orcival
Notre-Dame of Orcival

Souvigny - Eglise Priorale (Allier)
Klosterkirche in Souvigny
Priory Church, Souvigny

37

Le passé et son héritage

Plus que la politique, l'Auvergne apprécie les réalisations concrètes que lui apportent les empires et les républiques. Les routes sont améliorées, le tunnel routier du Lioran ouvert en 1848. Puis, vient le chemin de fer. Des viaducs enjambent les vallées : celui de Garabit où Gustave Eiffel fait ses premières armes (1885) ; celui des Fades sous la direction de l'ingénieur Vidard.

Les cures de Napoléon III à Vichy, son passage à Royat où l'impératrice donne son nom à "la bouillante Eugénie" confèrent un lustre nouveau au thermalisme.

En revanche, on se désespère devant la destruction des vignobles par le phylloxéra. On pleure encore bien davantage quand la guerre de 1914/1918 éloigne des jeunes qui ne reviendront jamais. Le tribut est lourd.

Entre les deux guerres se font de grands travaux d'électrification. Plus tard, des barrages sur la Truyère (Grandval, Sarrans, Cadène, Lanau), sur la Dordogne (Bort-les-Orgues), sur la Cère (Saint-Etienne-Cantalès) produisent des millions de kilowatts et transforment le paysage, y ajoutant de véritables fjords artificiels.

Après 1945, les départements auvergnats entreprennent de panser leurs plaies et se remettent courageusement à l'ouvrage. Ils exploitent leurs mines de charbon, s'industrialisent, se modernisent, mettent leurs sols en valeur, élargissent leurs horizons en poursuivant avec intelligence et résolution le désenclavement.

L'Auvergne ne produit plus seulement, comme l'affirmait Alexandre Vialatte avec compétence, des "ministres, des fromages et des volcans". Elle produit aussi le Pneu X et sa descendance, les plus beaux parapluies du monde, des échographes, des lasers, des chirurgiens, des artistes, des champions, des chefs d'entreprise et des présidents de la République.

Die Geschichte und ihr Erbe

Für die Auvergne sind die konkreten Objekte der Kaiserreiche und Republiken weitaus wertvoller als die theoretischen politischen Debatten. So die Verbesserung des Straßennetzes : 1848 wird der Tunnel von Lioran eröffnet. Bald darauf fahren die ersten Eisenbahnen. Beachtliche Brücken überspannen die tiefen Täler. Die bekanntesten Konstruktionen sind die von Gustav Eiffel (Garabit) und Vidard (Fades).

Die Kuraufenthalte Napoléons III. in Vichy und Royat verliehen dem Bäderverkehr einen neuen Glanz. In Royat wird eine Quelle nach der Kaiserin Eugénie benannt.

Andererseits war das Absterben der Weinberge durch die Reblauskrankheit (Phyloxera) ein schwerer Schlag für die Bevölkerung. Die Last des Schicksal wurde noch härter, als der Erste Weltkrieg zu den Waffen ruft, und viele junge mobilisierte Auvergnaten ihr Heimatland nie wiedersahen. In der Zwischenkriegszeit erhielt die Auvergne ihr Stromnetz. Stauwerke an der Truyère (Grandval, Sarrans, Cadène, Lanau), an der Dordogne (Bort-les-Orgues) und an der Cère (Saint-Etienne-Cantalès) liefern Millonen von Kilowatt Strom und verwandeln manchmal das Landschaftsbild in künstliche Fjorde.

Nach 1945 beginnen die Departements der Auvergne die zurückgebliebenen Wundes des Krieges zu pflegen und gehen mutig ans Werk. Die Kohlengruben laufen wieder auf vollen Touren, neue Industrieanlagen werden geschaffen, alte modernisiert. Auch die Landwirtschaft geht neue Wege. Das oberste Ziel jedoch ist, die Auvergne aus ihrer verkehrmäßig isolierten Lage herauszuführen. Die moderne Entwicklung nimmt ihren Lauf. Die Auvergne liefert nicht nur mehr, so wie Alexandre Vialatte einmal treffend formulierte, "Minister, Käse und Vulkane", sondern auch berühmte Reifen, die schönsten Regenschirme der Welt, Ultra-Schallgeräte, Laserinstrumente, Chirurgen, Künstler, Weltmeister im Sport, Firmenchefs und Präsidenten der Republik.

The past and its legacy

Politics aside, Auvergne was grateful for the concrete achievements afforded by empires and republics. Roads were improved and the tunnel of Lioran was opened in 1848. Then came railroads. Valleys were spanned by viaducts - one at Garabit, with which Gustave Eiffel made his début in 1885 ; another at Fades, constructed under the direction of the engineer Vidard.

The coming to Vichy of Napoléon III to take the waters there, as well as his visit to Royat, where the empress gave her name to "the boiling Eugénie", gave a new luster to thermal spas.

On the other hand, the damage done to vineyards by phylloxera caused utter despair. Still more tears were shed when the First World War took away young men who were never to return - a heavy toll to pay.

Between the two world wars much progress was made in putting electricity to use. Later, dams constructed on the Truyère (Grandval, Sarrans, Cadène, and Lanau), on the Dordogne (Bort-les-Orgues) and on the Cère (Saint-Etienne-Cantalès) produced millions of kilowatts and transformed the countryside, adding virtual artificial fiords.

After 1945, the Auvergnat departments began to pick up the pieces and bravely got back to their tasks. They worked their coal mines, became industrialized, modernized things, exploited their lands, broadened their horizons, striving with insight and resolution to break free from the barriers around them.

History marched on and now finds Auvergne producing not only "ministers, cheeses, and volcanoes" - as Alexandre Vialatte once declared with authority ; but also The Tire-that-needs-no-naming and all its descendants, the world's most beautiful umbrellas, echographs, lasers, surgeons, artists, champions, heads of companies, and Presidents of the Republic.

Clermont-Ferrand : la cathédrale
Clermont-Ferrand mit seiner Kathedrale
The cathedral at Clermont-Ferrand

Vichy thermal (Allier)
Kurstadt Vichy
Vichy, thermal resort

Viaduc de Garabit (Cantal)
Viadukt von Garabit
The Garabit Viaduct

Le passé et son héritage

Eglises, châteaux, ouvrages civils... Il ne faudrait pas pour autant oublier les hommes d'Auvergne qui ont fait l'histoire de la France. Et ils sont nombreux, y compris les deux présidents que l'Auvergne a donnés à la Vᵉ République **Georges Pompidou** et **Valéry Giscard d'Estaing** :

Grégoire de Tours : 538 - 594
Né à Clermont
Evêque et Historien.

Gerbert d'Aurillac : 938 - 1003
Premier Pape français sous le nom de Sylvestre II.

Michel de l'Hospital : 1505 - 1573
Né à Aigueperse
Chancelier de Catherine de Médicis.

Blaise Pascal : 1623 - 1662
Né à Clermont-Ferrand
Mathématicien, Physicien, Philosophe et Ecrivain - Inventeur de la machine à calculer.

La Fayette : 1757 - 1834
Né à Chavaniac
Général et homme politique
Prit part à la guerre d'indépendance en Amérique.

Arsène Vermenouze : 1850 - 1910
Né à Vielles-d'Ytrac, près d'Aurillac - Le grand poète de la Haute-Auvergne.

Edouard Michelin : 1859 - 1940
Né à Clermont-Ferrand - Industriel.

Jules Romains : 1885 - 1972
Né à Saint-Julien-Chapteuil
Ecrivain.

Henri Pourrat : 1887 - 1959
Né à Ambert
Ecrivain.

Georges Bataille : 1897 - 1962
Né à Billom
Ethnologue - Sociologue.

Paul Doumer : 1857 - 1932
Né à Aurillac
Homme politique.

Pierre Teilhard de Chardin : 1881 - 1955
Né à Orcines
Savant - Ethnologue.

Valéry Larbaud : 1881 - 1957
Né à Vichy
Ecrivain.

Die Geschichte und ihr Erbe

Wenn wir von Kirchen und Schlössern und bürgerlichen Baudenkmälern berichten, dürfen wir dabei nicht die zahlreichen Auvergnaten übersehen, die Frankreichs Geschichte mitbestimmt haben. Allein in der Fünften Republik hat die Auvergne zwei Präsidenten gestellt, **Georges Pompidou** und **Valéry Giscard d'Estaing**.

Grégoire de Tours : 538 - 594
geboren in Clermont
Bischof und Historiker

Gerbert d'Aurillac : 938 - 1003
Erster französischer Papst unter dem Namen Sylvester, der Zweite

Michel de l'Hospital : 1505 - 1573
geboren in Aigueperse
Kanzler von Catherina de Medicis

Blaise Pascal : 1623 - 1662
geboren in Clermont-Ferrand
Mathematiker, Physiker, Philosoph und Schriftsteller
Erfinder der Rechenmaschine

La Fayette : 1757 - 1834
geboren in Chavaniac
General und Politiker
nahm am amerikanischen Unabhängigkeitskrieg teil

Arsène Vermenouze : 1850 - 1910
geboren in Vielles-d'Ytrac bei Aurillac, ein großer Dichter der Haute Auvergne

Edouard Michelin : 1859 - 1940
geboren in Clermont-Ferrand
Industrieller

Jules Romains : 1885 - 1972
geboren in Saint-Julien-Chapteuil
Schriftsteller

Henri Pourrat : 1887 - 1959
geboren in Ambert
Schriftsteller

Georges Bataille : 1897 - 1962
geboren in Billom
Ethnologe und Soziologe

Paul Doumer : 1857 - 1932
geboren in Aurillac
Politiker

Pierre Teilhard de Chardin : 1881 - 1955
geboren in Orcines
Wissenschaftler und Ethnologe

Valéry Larbaud : 1881 - 1957
geboren in Vichy
Ethnologe

The past and its legacy

Churches, châteaux, public buildings... but for all these, let us not forget the men of Auvergne who have made history of France. And they are numerous, not forgetting the two presidents which Auvergne has given to the Fifth Republic, **Georges Pompidou** and **Valéry Giscard d'Estaing** :

Grégoire de Tours : 538 - 594
Born in Clermont
Bishop and historian

Gerbert d'Aurillac : 938 - 1003
First French Pope, named Sylvestre II

Michel de l'Hospital : 1505 - 1573
Born in Aigueperse
Chancellor of Catherine de Medicis

Blaise Pascal : 1623 - 1662
Born in Clermont-Ferrand
Mathematician, physicist, philosopher, and writer
Inventor of the calculating machine.

La Fayette : 1757 - 1834
Born in Chavaniac
General and politician
Took part in the American War of Independence

Arsène Vermenouze : 1850 - 1910
Born in Vielles d'Ytrac, near Aurillac
The great poet of Haute-Auvergne

Edouard Michelin : 1859 - 1940
Born in Clermont-Ferrand
Industrialist

Jules Romains : 1885 - 1972
Born in Saint-Julien-Chapteuil
Writer

Henri Pourrat : 1887 - 1959
Born in Ambert
Writer

Georges Bataille : 1897 - 1962
Born in Billom
Ethnologist - Sociologist

Paul Doumer : 1857 - 1932
Born in Aurillac
Politician

Pierre Teilhard de Chardin : 1881 - 1955
Born in Orcines
Scientist - Ethnologist

Valery Larbaud : 1881 - 1957
Born in Vichy
Writer

Abbaye de La Chaise-Dieu (Haute-Loire) - le cloître
Das Kloster von La Chaise-Dieu
The Abbey at La Chaise-Dieu - The cloister

Vierge Noire de Marsat (Puy-de-Dôme)
Die Schwarze Madonna von Marsat
Black Madonna at Marsat

Chapitre III

L'Economie

Une tradition industrielle ancienne

Grands groupes mondialement connus, petites et moyennes entreprises dynamiques, les sociétés implantées en Auvergne participent à la course au progrès et arrivent souvent en tête.

Née de l'artisanat, l'industrie apparaît en Auvergne dès le XIe siècle quand "Thiers l'industrieux" fabrique déjà des couteaux. En témoignent des meules incluses dans les murs de l'église romane Saint-Genès. La papeterie y est aussi prospère au XVIe quand Montaigne y rend visite aux cartiers. Elle l'est également à Ambert, à Chamalières. Le cuivre et l'or sont battus à Aurillac. Au Puy, on fabrique des cloches de toutes dimensions. Les pâtes de fruits font la gloire de Clermont quand Richelieu y est reçu et régalé. Les bassins houillers du Val d'Allier et des Combrailles sont en exploitation dès le XVIIIe siècle. Sous la Révolution, on sait fondre des canons à Clermont, forger des sabres à Thiers.

La bière est brassée à l'usine Kuhn (devenue plus tard la "Fauvette"), entre Clermont et Chamalières, où Louis Pasteur découvre un nouveau procédé de fabrication "qui portera la mort dans l'âme de nos bons voisins allemands".

L'apparition du caoutchouc, qui reste la principale activité industrielle de la région, est liée à la création, vers 1830, d'une petite usine de machines agricoles par deux cousins, Aristide Barbier et Edouard Daubrée. Pour amuser ses enfants, Mme Daubrée, nièce du savant écossais Mackintosh qui avait découvert la solubilité du caoutchouc dans la benzine, confectionne quelques balles.

Die Wirtschaft

Eine alte Industrietradition

Große, weltbekannte Unternehmensgruppen, aber auch dynamische klein- und mittelständische Betriebe der Auvergne, beteiligen sich am Wettlauf des Fortschritts und erreichen oft Spitzenergebnisse.

Aus dem Handwerk hervorgehend, entsteht in der Auvergne schon im 11. Jahrhundert eine Art Kleinindustrie. Die "Industriestadt" Thiers stellte damals schon Messer her. Zeugnisse dieser wirtschaftlichen Aktivitäten sind die Schleifsteine an den Außenmauern der romanischen Kirche Saint-Genès. Im 16. Jahrhundert entstehen hier auch Papiermanufakturen. Montaigne besichtigte schon ein Atelier, das Karten herstellte. Weitere Zentren der Papierherstellung sind Ambert und Chamalières. Kupfer und Gold werden in Aurillac verarbeitet, in le Puy gießt man Glocken in jeder gewünschten Größe. In Clermont-Ferrand stellt man Leckereien aus Fruchtgelee her, die schon Richelieu anläßlich eines Besuches mit Freuden genoß. Seit dem 18. Jahrhundert wird im Alliertal und bei Combrailles Steinkohle abgebaut. In den Revolutionsjahren wurden in Clermont Kanonen gegossen und in Thiers Säbel geschmiedet.

Die Brauerei Fauvette (ehemals Kuhn) braut zwischen Clermont und Chamalières ein heimisches Bier. Hier entdeckt auch Louis Pasteur ein neues Herstellungsverfahren, das bald "unseren guten deutschen Nachbarn tiefen Kummer bereiten sollte".

Mit dem Aufkommen der Rohkautschukgewinnung entsteht der heute wichtigste Industriezweig der Auvergne, die Kautschukverarbeitung. Ihre Ursprünge gehen auf die Gründung einer kleinen Landwirtschaftsmaschinenfabrik im Jahre 1830 durch die Cousins Aristide Barbier und Edouard Daubrée zurück. Zur Freude ihrer Kinder fertigt Mme Daubrée (Nichte des schottischen Wissenschaftlers Mackintosh, Entdecker der Auflösbarkeit des Kautschuks in Benzol) einige kleine Bälle an.

Economy

A long-standing industrial tradition

Large, internationally-known organizations, dynamic firms both big and small - the companies located in Auvergne are participants in the progress race, and are often first at the finishing line.

Having begun as the work of craftsmen, industry appeared in Auvergne in the 11th century when "Thiers the Industrious" was already making knives. Grindstones set into the walls of the Romanesque church Saint-Genès attest to this. Paper-making was also a prosperous trade here in the 16th century ; it was at this time that Montaigne visited the card makers in the city. It was prosperous, too, at Ambert and Chamalières. Copper and gold were hammered at Aurillac. Bells of all sizes were made in Le Puy. Clermont rose to fame with its pâtes de fruits (jellied fruit paste candy) which the visiting Richelieu found delicious. The exploitation of coal fields in Val d'Allier and Combrailles began in the 18th century. During the Revolution, cannons were being cast in Clermont and sabers were being forged in Thiers.

Beer was brewed in the Kuhn factory (which later became the "Fauvette") between Clermont and Chamalières, where Louis Pasteur discovered a new beer-making process which would "bring grief to the hearts of our dear German neighbors".

The appearance of rubber, which is currently the chief industrial activity of the region, is linked to the small farm machinery factory created around 1830 by two cousins, Aristide Barbier and Edouard Daubrée. Mme Daubrée, niece of the Scottish scientist Macintosh who discovered the solubility of rubber in benzine, made a few balls to amuse her children.

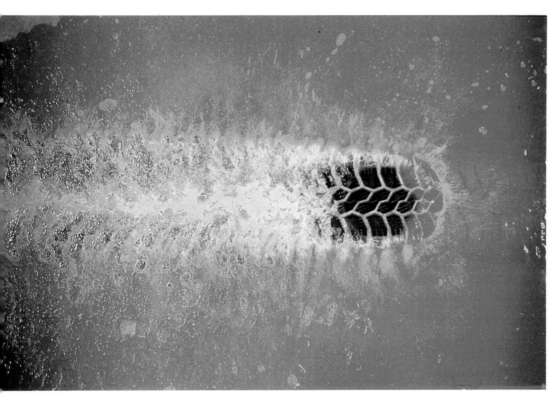

Michelin, l'avancée technologique
Michelin : Vorreiter in der Technologie
Michelin, advanced technology

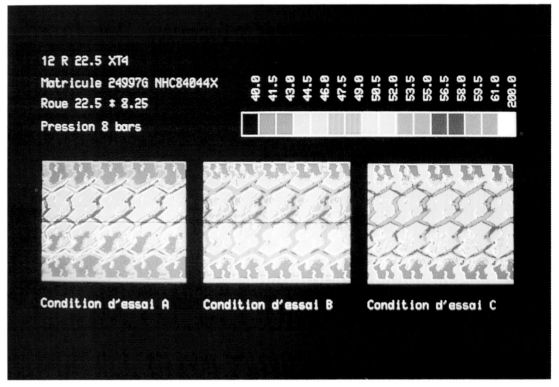

L'économie

Une tradition industrielle ancienne
Ces balles connaissent un tel succès que les deux industriels décident d'en entreprendre la fabrication en grand, ainsi que celle d'autres articles en caoutchouc : tampons, tuyaux, courroies, bouchons, tétines, rondelles...

Après cette période brillante, l'usine décline. Elle est reprise en 1886 par les petits-fils du fondateur Barbier, Edouard et André Michelin. Commence alors une épopée qui conduira l'entreprise à la tête de l'industrie mondiale du pneumatique. En 1902, la famille Chibret crée son premier laboratoire pharmaceutique. Gloire de la maison : le chibromercurochrome, cette liqueur rouge dont on badigeonne les blessures, les piqûres, les boutons. Après la fusion définitive avec un des leaders mondiaux, Merck and Co, en 1978, il prend la dénomination en France de Laboratoires Merck Sharp and Dohme - Chibret.

En 1939, un polytechnicien, Marcel Lingot, crée A.E.C. (Alimentation Equilibrée de Commentry). Une idée fort simple motivait ce chercheur : nourrir l'homme en procurant aux animaux qu'il consomme tous les éléments nutritionnels indispensables, dosés de la meilleure façon. L'A.E.C. a ainsi été l'un des premiers à mettre en évidence l'intérêt de l'utilisation pratique d'un certain nombre d'additifs nutritionnels dans l'alimentation animale, en particulier les acides aminés et les vitamines.

Ainsi, depuis longtemps, l'Auvergne a prouvé son ingéniosité dans tous les domaines. Mais au cours des vingt dernières années, elle a connu une véritable explosion industrielle.

Die Wirtschaft

Eine alte Industrietradition
Diese Bälle hatten einen so großen Erfolg, daß die zwei Unternehmer beschlossen, sie serienmäßig herzustellen. Daneben erweiterten sie ihre Produktion auch auf andere Kautschukartikel, wie z.B. Stempel, Schläuche, Keilriemen, Stopfen, Flaschenschnuller und Dichtungsringe.

Nach dieser erfolgreichen Anfangsphase flauten die Geschäfte wieder ab. 1886 nahmen die Enkelsöhne des Firmengründers Barbier, Edouard und André Michelin, die Geschäfte der Firma in die Hand. Eine neue Epoche beginnt, und bald steht das Unternehmen an der Weltspitze der Reifenherstellung.

Im Jahre 1902 gründete die Familie Chibret ihr erstes pharmazeutisches Labor. Der "Renner" des Hauses war das Chibromercurochrome, eine Art rote Jodtinktur zur äußerlichen Behandlung von kleinen Wunden, Entzündungen, Insektenstichen und Pickeln. Nach dem endgültigen Zusammenschluß mit dem weltführenden Unternehmen Merck and Co im Jahre 1978, kennt man die Firma in Frankreich unter dem Namen Laboratoires Merck Sharp and Dohme-Chibret.

1939 gründete Marcel Lingot, ein Absolvent der berühmten französischen Polytechnischen Eliteschule, die Firma A.E.C. (Alimentation Equilibrée de Commentry, was auf Deutsch mit "ausgeglichene Nahrungsmittel aus Commentry" wiedergegeben werden könnte). Eine recht einfache Idee motivierte diesen Forscher : Er wollte für den Menschen, der ja tierische Nahrungsmittel zu sich nimmt, dadurch eine ausgeglichene Nahrung schaffen, daß er den Schlachttieren in optimaler Dosis bestimmte Nährstoffe zuführt. Die Firma A.E.C. war somit eines der ersten Unternehmen, das auf die Bedeutung und Anwendung gewisser Zusatzstoffe (bes. Aminosäuren und Vitamine) aufmerksam machte. Die Auvergne hat also seit langem ihren Erfindungs- und Entdeckungsgeist in vielseitigen Bereichen unter Beweis gestellt. Aber erst während der letzten 20 Jahre hat sie - und zwar explosionsartig - ihr eigentliches industrielles Wachstum erlebt.

Economy

A long-standing industrial tradition
These balls were such a success that the two industrialists decided to produce them on a large scale, along with other rubber articles - stamps for printing, pipes, belts, stoppers, bottle teats, washers...

After this period of glory, the factory declined. It was taken over in 1886 by founder Barbier's grandsons, Edouard and André Michelin. This marked the beginning of an era that would take the company to the top of the worldwide tire industry.

In 1902, the Chibret family created its first pharmaceutical laboratory. Its claim to fame - chibromercurochrome, the red solution dabbed on wounds, stings, and skin irritations. After merging definitively with one of the world's leading companies, Merck and Co. in 1978, it became known in France as Merck, Sharp and Dohme-Chibret Laboratories.

In 1939, Marcel Lingot, a graduate of the Ecole Polytechnique in Paris, created - A.E.C. (Balanced Nutrition of Commentry). He was inspired by a very simple idea - to nourish man by giving to the animals he eats, all the essential nutritional elements in carefully studied proportions. The A.E.C. was thus one of the first to call attention to the advantages of using a certain number of nutritional additives in animal nutrition, particularly amino acids and vitamins.

For a long time, then, Auvergne has been proving its ingenuity in all fields. But it is during the last twenty years, that it has experienced impressive industrial expansion.

Rhône Poulenc Animal Nutrition, à la pointe de l'innovation en nutrition animale
Rhône Poulenc Animal Nutrition : Führender Innovator der Futtermittelproduktion
Rhône Poulenc Animal Nutrition, setting the pace in animal nutrition

L'économie

Une industrie performante et diversifiée

L'équipement et le savoir-faire développés par les entreprises qui appliquent les toutes dernières techniques placent l'Auvergne en bonne position face à la concurrence mondiale.

Le caoutchouc et les matières plastiques

Ce secteur économique, le plus important de la région, se caractérise par la présence de grandes entreprises telles que Michelin, Caoutchouc Matières Plastiques (filiale de Kléber), Dunlop. Interep est spécialiste du caoutchouc cellulaire étanche et du caoutchouc mousse. Sacatec, Sérica, Auda, les entreprises concentrées à Sainte-Sigolène et à Thiers travaillent le plastique. Michelin, leader mondial du pneumatique, un chiffre d'affaires de 51,8 milliards de francs en 1988, emploie en Auvergne 21 000 personnes, dont 3 000 au Centre de Recherches et d'Essais de Ladoux, et réalise un tiers des exportations de la région. C'est depuis Clermont-Ferrand que Michelin a choisi d'arbitrer sa stratégie internationale en y installant son siège social, véritable centre de décision pour les 59 usines réparties dans le monde entier.

L'entreprise fait appel à une main d'oeuvre qualifiée, capable de maîtriser un ensemble de techniques dans des situations évolutives et dans des contextes très différents.

Die Wirtschaft

Leistungsfähige und vielseitige Industriezweige

Aufgrund der technischen Ausstattung und Anwendung neuester Technologien in den Unternehmen, kann sich die Auvergne erfolgreich der weltweiten Konkurrenz stellen.

Kautschuk-und Kunststoffindustrie :

Diese Branche ist die wichtigste der Region, vertreten durch Firmen, wie : Michelin, Caoutchouc Matières Premières (eine Filiale der Firma Kleber), Dunlop und Interep (Zellkautschuk und Schaumgummi). Die um Thiers und Saint-Sigolène angesiedelten Betriebe Sacatec, Sérica, Auda sind in der Kunststoffverarbeitung tätig. Michelin ist weltweit der erste Hersteller von Radialreifen (Jahresumsatz 1988 : 51,8 Milliarden Francs). Das Unternehmen beschäftigt in der Auvergne 21.000 Leute, davon 3000 im Forschungs-und Testzentrum von Ladoux. Sein Anteil an den Gesamtausfuhren der Region beträgt 30 %.

Im Stammwerk und Hauptsitz der Unternehmensgruppe in Clermont-Ferrand wird die internationale Geschäftspolitik für die 59 Produktionseinheiten in der ganzen Welt entschieden. Michelin stellt hohe Ansprüche an sein Personal. Die Facharbeiter müssen umfassenden technischen Prozessen, die in ständiger Entwicklung sind, gewachsen sein und sich in den verschiedensten Produktionsbereichen behaupten können.

Economy

Productive and diversified industry

The facilities and the skills developed by companies working with the most recent techniques have adequately prepared Auvergne for the world market.

Rubber and Plastics

This economic sector, the region's largest, is characterized by the presence of manufacturers such as Michelin, Caoutchouc Matières Plastique (subsidiary of Kléber), and Dunlop. Interep specializes in cellular sealing rubber and foam rubber. Sacatec, Sérica, and Auda, located near one another at Sainte-Sigolène and Thiers, are concerned with plastics. Michelin, the world's leading manufacturer of radial tires, had a turnover of 51.8 billon francs in 1988. It employs 21,000 people in Auvergne, 3,000 of whom work at the Center of Research and Experimentation at Ladoux ; and produces one third of the region's exports. Clermont-Ferrand was the site chosen by Michelin for its headquarters. All international strategy is determined here in this decision-making center for the 59 factories located all over the globe.

Michelin selects highly-skilled workers able to master a variety of techniques and situations occuring in very different contexts.

Sérica fournit la parfumerie et la cosmétologie
Sérica, Lieferant für die Parfum-und Kosmetikbranche
Sérica supplies products for the perfume and cosmetics industries

L'économie

Caoutchouc et plastiques

En effet, de la physico-chimie des matériaux à l'électronique en passant par les mathématiques, la micromécanique ou la métallurgie de pointe, aucun domaine scientifique ne lui est étranger.

L'usine des Gravanches intègre les dernières technologies mises au point par les centres d'études.

Ce potentiel est un stimulateur important pour l'environnement de la région : universités, centres de recherches, et alimente un vivier où se côtoient les chercheurs des grandes entreprises de la région.

Repris en 1984 par le groupe japonais Sumitomo, Dunlop-France réalise environ 60 % de son chiffre d'affaires dans le pneumatique. Par ailleurs, la production concerne des articles pour le sport (balles, raquettes de tennis), la literie (Dunlopillo) et diverses activités industrielles. Le groupe a réalisé d'importants investissements sur le site, augmentant ainsi ses capacités.

Sainte-Sigolène est l'exemple type de l'industrialisation réussie en milieu rural. Aujourd'hui, cette ville de 5 600 habitants est devenue le premier centre français de l'extrusion du polyéthylène destiné à l'emballage, avec 30 % de la production nationale. Il faut remonter au siècle dernier pour retrouver les racines de ce que l'on appelle en Auvergne le ''miracle sigolénois''. Bien avant l'âge d'or du polyéthylène, on y était tisserand ou passementier de père en fils. De cette tradition prestigieuse sont issues deux belles réussites, les entreprises Descours et Salque.

Die Wirtschaft

Kautschuk und Kunststoffindustrie

Michelins Fachkräften ist kein Wissenschaftsbereich fremd : Werkstoffkunde, Elektronik, Mathematik, Feinmechanik, neue Metallegierungen sowie ihre Verarbeitungstechniken.

Die Fabrik in Gravanches wendet neueste Technologien an, die in den Forschungszentren entwickelt wurden.

Dieses Potential an High-Technology ist ein wichtiger Stimulator für die Region : Gravanche bildet eine Art Anlaufstelle und Treffpunkt für den wissenschaftlichen Austausch zwischen Universitäten, staatlichen und privaten Forschungsstätten der Region.

Dunlop-France wurde 1984 von der japanischen Firma Sumitomo aufgekauft und erzielt z. Zt. ungefähr 60 % seines Umsatzes mit der Reifenproduktion. Weitere Erzeugnisse sind : Tennisschläger, -bälle, Matrazen (Dunlopillo) und viele andere Industrieprodukte. Die japanische Firmengruppe hat in ihrer auvergnatischen Werksniederlassung enorme Investitionen getätigt, um die Produktionskapazitäten zu erweitern.

Sainte-Sigolène ist ein ausgezeichnetes Beispiel für eine gelungene Industrieansiedlung im ländlichen Raum. Heute ist diese kleine Stadt mit 5600 Einwohner ein Zentrum der Kunststoffverarbeitung (im Walzverfahren hergestellte Folien für Verpackungszwecke) und steht in dieser Branche auf nationaler Ebene mit 30 % der Gesamtproduktion an erster Stelle. Die Ursprünge dieses ''Wirtschaftswunders'' von Saint-Sigolène liegen im vorigen Jahrhundert. Schon lange vor der Blütezeit der Kunststoffverarbeitung übte man hier von einer Generation zur anderen den Beruf des Webers oder Bortenmachers aus. Aufgrund dieser kunstvollen Handwerkstradition, entwickelten sich hier zwei erfolgreiche Betriebe, Descours und Salque.

Economy

Rubber and Plastics

Whether it be the physical chemistry of materials, electronics, mathematics, micromechanics or highly specialized metallurgy - no scientific field is beyond their capabilities.

The Gravanches factory puts to use the latest technological methods developed by the research center.

This driving force provides the region with a stimulating atmosphere - universities, research centers, and creates an enlightening climate to which the area's researchers are drawn.

At Dunlop-France, part of the Japanese group Sumitomo since 1984, 60 % of the turnover comes from tire manufacture. Apart from this, the company's activities include the making of sports equipment (balls, tennis rackets), bedding (Dunlopillo), and various other industrial functions. The group has made large development investments on the site, which has increased the company's possibilities.

Sainte-Sigolène is a typical example of successful industrialization in rural surroundings. Today this town with a population of 5,600 has become France's number one center of polyethylene - extrusion for packaging, making up 30 % of the GNP. The roots of the ''miracle of Sigolène'', as it is called in Auvergne, go back to the 19th century. Way before the golden age of polyethylene, people here were weavers or dealers in passementerie in family businesses. From this prestigious tradition came two fine examples of success, the companies Descours and Salque.

Une unité d'extrusion du Groupe Barbier à Sainte Sigolène (Haute-Loire)
Extrusionsanlage der Firma Barbier in Sainte Sigolène
A polyethylene-extrusion center of the Groupe Barbier at Sainte Sigolène

L'économie

Caoutchouc et plastiques

Mais avec la crise du textile des années 50, près de 80 % des entreprises disparurent. La reconversion fut alors indispensable. Sainte-Sigolène se tourna vers la transformation du polyéthylène. Actuellement, les principaux producteurs, Barbier, Fayard et Ravel, Januel Plastiques, VD Emballages produisent des films et gaines pour l'agriculture (ensilage, paillage, serre), des films industriels rétractables ou étirables, des sacs en plastique pour la grande distribution ou pour le magasin de proximité.

Thiers, en assurant 70 % de la production coutelière française, est sans conteste la capitale de la coutellerie française. On y produit aussi bien des couteaux et couverts de table que des ciseaux, instruments de chirurgie, couteaux professionnels, de poche, de chasse, sécateurs, cisailles de jardin ou lames de rasoir...

L'existence de ce pôle industriel a permis le développement d'activités directement issues de la coutellerie, telles que la transformation des matières plastiques. Utilisées à l'origine dans la fabrication des manches de couteaux et des articles de bimbeloterie, elles ont suscité une véritable industrie dans le domaine des chaussures (Plastic Auvergne), des articles de bureau (C.E.P. Chevalérias Ordex), d'emballage (Cartolux), de flaconnage (Plastidore...) et de pièces mécaniques (Tiennon Plastique Outillage, Ricornet...). Contrairement à Sainte-Sigolène, axée sur l'extrusion, Thiers est un centre français de transformation de matières plastiques par injection.

Die Wirtschaft

Kautschuk und Kunststoffindustrie

Infolge der schweren Krise in der Textilbranche im Verlauf der fünfziger Jahre, sind fast 80 % der Betriebe vom Markt verschwunden. Eine wirtschaftliche Umstrukturierung war lebensnotwendig. Saint-Sigolène fand einen neuen Weg : die Verarbeitung des Polyäthylen-Kunststoffes. Heute sind die wichtigsten Firmen : Barbier, Fayard und Ravel, Januel Plastiques, VD Emballages. Sie produzieren Folien und Kunststoffrohre für die Landwirtschaft (Silotechnik, Strohbündelung und Treibhausbau), Folien für den Industriebedarf, Plastiktüten für Supermärkte und Geschäfte der Umgebung.

Thiers liefert 70 % der französischen Produktion für Schneid-und Messerwaren und ist zweifelsohne die französische Hauptstadt dieses Industriezweiges. Man stellt dort Tafelmesser und -besteck, Scheren, chirurgische Instrumente, Taschen-, Jagd- und Industriemesser, Baum- und Heckenscheren, Rasierklingen u.a.m. her. Die Existenz dieser Industrien zog Zulieferbetriebe, wie z.B. die Kunststoffverarbeitung an, die anfangs lediglich Messergriffe und Nippsachen herstellte. Bald darauf erweiterte sich diese Branche und erzeugte die verschiedensten Teile für die Schuhindustrie (Plastic Auvergne), für Büroartikel (C.E.P. Chevalerias Ordex), produzierte Verpackungsmaterial (Cartolux), Flaschen (Plastidore) und mechanische Teilstücke (Tiennon Plastique Outillage, Ricornet...). Während Sainte-Sigolène vor allem ausgewalzte Kunststoffprodukte fertig, ist Thiers Zentrum der Gußtechnik.

Economy

Rubber and Plastics

But with the textile slump of the 50's, nearly 80 % of these companies disappeared. Redirection was essential. Sainte-Sigolène then turned to the conversion of polyethylene. At present, the chief manufacturers - Barbier, Fayard and Ravel, Januel Plastiques, VD Emballages - make agricultural plastic film and tubing (for ensilage, mulching, greenhouse use), resilient or stretchable industrial film, and plastic bags for large-scale distribution, or the local store.

Being responsible for 70 % of the cutlery production of France, Thiers is unconditionally the industry's capital. Not only table cutlery is produced here, but also scissors, surgical instruments, knives for professional use, pocket knives, hunting knives, pruning shears, gardening shears, and razor blades.

The existence of this pole of industrial activity has occasioned the development of branches closely associated with cutlery, such as the conversion of plastics. Originally used in the making of knife handles and luxury items, plastics gave rise practically to a whole industry in the domain of shoes (Plastic Auvergne), office supplies (C.E.P., Chevalérias Ordex), packaging (Cartolux), small bottles and flasks (Plastidore), and mechanical parts (Tiennon Plastique Outillage, Ricornet...). In contrast to Sigolène, centered around polyethylene extrusion, Thiers is a French center dealing with the conversion of plastics by injection.

Des couturiers de renom ont confié leur griffe à Salque
Berühmte Modeschöpfer lassen ihre Kreationen bei Salque realisieren
Top fashion designers entrust their creations to Salque

Coutellerie thiernoise, ''Thérias et l'Econome''
Messer aus Thiers, ''Thérias et l'Econome''
Knives from Thiers, ''Thérias et l'Econome''

L'Economie

L'agriculture et l'agro-alimentaire

Avec environ 15 % de la population active, une surface agricole utile qui représente 62 % de son territoire et 44 000 exploitations, l'agriculture occupe une place économique importante en Auvergne.

La culture des céréales est principalement localisée sur les terres noires des Limagnes, parmi les plus riches de France depuis que des opérations de remembrement et d'assainissement ont été menées.

Ces conditions favorables ont permis le développement d'entreprises telles que Limagrain, troisième groupe semencier mondial. Avec 2,2 milliards de francs de chiffre d'affaires, il est implanté dans 12 pays et exporte dans plus de 100. Ses efforts de recherche, qui représentent 7,2 % du chiffre d'affaires, sont répartis entre l'amélioration des plantes, la biotechnologie et la technologie des semences. L'installation en 1986 d'un laboratoire de biologie cellulaire et moléculaire sur le campus universitaire des Cézeaux est à cet égard remarquable. A noter que le Groupe participe à trois projets Euréka.

Le Groupe Delbard, semencier connu pour la qualité de ses roses et de ses arbres fruitiers, société du Groupe Louis Vuitton Moët Hennessy (L.V.M.H.), consacre 5 à 7 % de son budget à la recherche et à la sélection de variétés.

Die Wirtschaft

Landwirtschaft und Nahrungsmittelindustrie

Die Landwirtschaft nimmt eine wichtige Stelle in der Wirtschaft der Auvergne ein : Zirka 15 % der erwerbstätigen Bevölkerung bewirtschaften in 44.000 Betrieben 62 % der Gesamtfläche der Auvergne.

Die Getreideanbauflächen befinden sich vor allem in der Limagne (Schwarzerdeböden), die zu den fruchtbarsten Gebieten Frankreichs zählt. Seit der Flurbereinigung und Bodenverbesserungsmaßnahmen, haben sich hier die Erträge noch gesteigert.

Aufgrund dieser Gunstfaktoren konnte sich dann auchein Unternehmen, wie Limagrain entwickeln, das heute weltweit drittgrößter Produzent für Saatgut ist. Limagrain (Gesamtumsatz : 2,2 Milliarden Francs) hat zwölf Filialen im Ausland und exportiert in etwa 100 Länder.

7,2 % des Umsatzes werden in die Forschung investiert, deren Schwerpunkte im Bereich der Verbesserung der Pflänzlinge, in der Bio-und Saatguttechnologie liegen. Das Unternehmen errichtete auch auf dem Universitätsgelände der Naturwissenschaftlichen Fakultät (Les Cézeaux) von Clermont-Ferrand ein Labor für Zell-und Molekular-Biologie. Ferner beteiligt es sich an drei Eureka-Projekten.

Eine andere auvergnatische Firma dieser Branche ist Delbord, eine Tochtergesellschaft der Unternehmensgruppe Louis Vuitton Moët Hennessy (L.V.M.H.), die für die Qualität ihrer Rosen-und Obstbaumstecklinge bekannt ist. Fünf bis sieben Prozent des Firmenbudgets sind Forschungsvorhaben, u.a. in der Artenauslese, gewidmet.

Economy

Agriculture and Agrobiology

Employing 15 % of the workforce, with agricultural exploitation accounting for the use of 62 % of its land and 44,000 developments, agriculture plays an important economic role in Auvergne.

Cereal production is concentrated principally on the fertile land of the Limagne Plains, where some of the richest soil in France is found since regrouping and sanitation operations were carried out here.

These favorable conditions gave rise to the development of firms such as Limagrain, ranked third in the world for seed production. With a turnover of over two billion francs, the firm has plants in twelve countries, and exports to more than one hundred. Its research outlay, representing 7.2 % of the turnover, is divided between the improvement of crops, biotechnology, and seed technology. The setting up of a molecular and cellular biology laboratory on the university campus Les Cézeaux in 1986 was remarkable in this respect. Worthy of note also is the firm's participation in three Euréka projects.

The firm Delbard, producer of seeds known for the quality of its roses and fruit trees, part of Louis Vuitton Moët Hennessy (L.V.M.H.), devotes 5 to 7 % of its budget to the research and selection of different varieties.

Limagrain : 3e groupe semencier mondial
Limagrain : Drittgrößter Weltproduzent für Saatgut
Limagrain : ranked third in the world for seed production

L'économie

La recherche agronomique

Avec les groupes Delbard et Limagrain se développe un pôle technologique intéressant, renforcé par la présence de laboratoires au sein des universités et de l'Institut National de la Recherche Agronomique (I.N.R.A.).

L'Auvergne s'affirme aussi comme une région d'élevage : elle produit du lait (6 % de la production nationale) ou de la viande bovine (6,4 % du troupeau national). Son cheptel comprend des races internationalement renommées : les Charolaises et les Salers.

L'industrie agro-alimentaire vient au deuxième rang des secteurs industriels d'Auvergne. Elle se caractérise par la volonté d'avoir une politique de qualité constante, de diversification et d'investissement permanent. Elle utilise les techniques les plus modernes, tant pour la production que pour la conservation et la transformation des produits. Ainsi, les industries laitières telles que 3 A/ Alliance Agro-Alimentaire, 8e groupe laitier français, et Riches Monts, premier producteur européen de raclette, commercialisent avec succès les grands fromages d'Appellation Contrôlée (Cantal, Salers, Saint-Nectaire, Bleu d'Auvergne et Fourme d'Ambert). Dans ces entreprises, chaque collecte, chaque affinage bénéficient en permanence de l'assistance d'un laboratoire de recherche et développement.

Die Wirtschaft

Die agrarwissenschaftliche Forschung

Die Auvergne entwickelt sich zu einem interessanten Forschungszentrum agrarwissenschaftlicher Technologien. Dazu tragen nicht nur die Unternehmensgruppen Delbard und Limagrin bei, sondern auch die Forschungslabors der Universitäten sowie die des Nationalen Instituts für Landwirtschaft (I.N.R.A.).

Auch die Viehzucht hat in der Auvergne ihren festen Platz. Sie liefert 6 % der nationalen Milchproduktion. Die Rinderzucht hat einen Anteil von 6,4 % am nationalen Rinderbestand. Ein Großteil gehört den international anerkannten Rassen "Charolais" und "Salers" an.

Die Nahrungsmittelindustrie ist der zweitstärkste Zweig des Sekundären Wirtschaftssektors in der Auvergne. Ihre Devise heißt : gleichbleibende Qualität, vielseitiges Angebot und ständige Investitionsbereitschaft. Modernste Techniken bestimmen die Produktions-, Verarbeitungs-und Konservierungsverfahren. Milchverwertungsbetiebe, wie z.B. 3 A/Alliance Agro-Alimentaire (Platz Nummer acht der nationalen Rangliste) und Riches Monts, erster europäischer Produzent für Raclette-Käse, vermarkten mit großem Erfolg bekannte regionalen Käsesorten mit geprüfter Qualitäts- und Herkunftsbezeichnung (Cantal, Salers, Saint-Nectaire, Bleu d'Auvergne und Fourme d'Ambert). Diese Firmen werden im gesamten Verfahrensprozeß, vom Milchabholen bis zum Heranreifen des Käses, von Forschungs- und Entwicklungslaboratorien wissenschaftlich unterstützt.

Economy

Agronomic Research

With the firms Delbard and Limagrain, an interesting technological focal point has developed which is reinforced by the presence of laboratories within the universities and by the I.N.R.A. (National Institute of Agronomic Research).

Auvergne is asserting itself, too, as a cattle-raising region - milk produced here represents 6 % of the GNP ; beef comes from regional cattle representing 6,4 % of the national total. The livestock of Auvergne includes internationally renowned breeds - Charolais and Salers. The agrobiology industry is the second most important activity in Auvergne's industrial sector. It is characterized by the desire to conscientiously maintain its level of quality, by diversification, and by continuous investment. The most up-to-date techniques are used in production, as well as in the conservation and conversion of products. Thus dairy industries such as 3 A - Alliance Agro-Alimentaire, ranked eighth in France, and Riches-Monts- the number one European producer of raclette cheese, have successfully commercialized the fine cheeses guaranteed "Appellation d'Origine Contrôlée" (Cantal, Salers, Saint-Nectaire, Bleu d'Auvergne and Fourme d'Ambert). For each step in the production process these firms benefit continually from the assistance of a laboratory of research and development.

Le Groupe Delbard : spécialiste des roses et des arbres fruitiers
Le Groupe Delbard : Spezialist für Rosen und Obstbäume
Delbard, known for the outstanding quality of its roses and fruit trees

L'économie

L'agro-alimentaire

Le complexe viande s'est implanté dans le département de l'Allier avec notamment Socopa Villefranche. L'évolution actuelle de l'entreprise se fait sur le créneau porteur des viandes de qualité (Charolais, agneau), des viandes conditionnées et des produits surgelés. Cette politique s'appuie sur un réseau commercial national et international.

Autre secteur de transformation de la viande, la salaisonnerie, avec, entre autres, les Salaisons du Lignon, Souchon d'Auvergne, Polette. Souchon d'Auvergne, par exemple, mise sur l'image régionale, synonyme de qualité, et travaille en relation avec l'I.N.R.A. et l'A.D.I.V. (Association pour le Développement de l'Institut de la Viande). Cette entreprise aborde largement les marchés étrangers.

Les volailles fermières d'Auvergne représentent la deuxième appellation d'origine de France. La politique de marques (label rouge, Douce France, Jean Baptiste Seive) menée par la filière bénéficie d'une bonne implantation dans la grande distribution.

Die Wirtschaft

Die Nahrungsmittelindustrie

Bedeutenster Vertreter der Fleischverarbeitung und -vermarktung ist die Socopa im Departement Allier. Ihre Marktrenner sind Lamm-und Rindfleisch (Charolais-Rasse) der höchsten Güteklasse, abgepacktes Frischfleisch und Tiefkühlware. Das Unternehmen verfügt über ein nationales und internationales Verteilernetz.

Betriebe, wie Les Salaisons du Lignon, Souchon d'Auvergne und Polette, verarbeiten Fleisch auf andere Weise (Pökeln, Salzen, Lufttrocknen). Für die Firma Souchon d'Auvergne z.B. sind die regionalen Produkte ein Symbol für Qualität. Das Unternehmen arbeitet eng mit dem Nationalen Forschungsinstitut für Landwirtschaft (I.N.R.A.) und mit dem Verein zur Errichtung eines eigenen Fleischforschungsinstitutes (A.D.I.V.) zusammen. Die Firmenerfolge schlagen auch in ihrer hohen Exportquote zu Buche.

Das Freilandgeflügel aus der Auvergne trägt den Siegel der zweithöchsten Güteklasse Frankreichs. Es hat sich erwiesen, daß die Forderungen der Geflügelzüchter nach Gütezeichen (z.B. label rouge, Douce France, Jean-Baptiste Seive) beim Konsumenten allgemein bis hin zu den Kunden großer Einkaufszentren auf Anerkennung treffen.

Economy

Agrobiology

The meat complex was brought to the Allier department notably by Socopa Villefranche. The firm's current orientation is establishing it in the domain of quality meat (Charolais, lamb), packaged meat, and frozen foods. At the base of this activity is a commercial network which is both national and international.

Another related sector is that of meat curing, represented in the area by Les Salaisons du Lignon, Souchon d'Auvergne, and Polette, among others. Souchon d'Auvergne, for example, is cultivating its regional image, a synonym for quality, and is working with the I.N.R.A. and the A.D.I.V. (Association for Development of the Meat Institute). This firm has successfully tackled foreign markets.

The farm poultry of Auvergne represents the second appellation originating from France. The administrative policy of brand names (Label rouge, Douce France, Jean-Baptiste Seive) is respected in large-scale distribution.

3 A / Alliance Agro-Alimentaire : haute technologie et performance
3 A / Alliance Agro-Alimentaire : Spitzentechnologie und Leistungsstärke
3 A / Alliance Agro-Alimentaire : highly-specialized technology and performance

L'économie

L'agro-alimentaire

Ces entreprises mettent sur le marché des produits authentiques, vérifiés, qui respectent les contraintes diététiques de la vie moderne.

L'Auvergne, c'est la nature à l'état pur. La Société des Eaux de Volvic a su valoriser un don de la nature en innovant constamment en matière de produits, de conditionnements, d'avance technologique. Les résultats sont là pour en témoigner : l'eau de Volvic connaît actuellement la plus forte progression des grandes marques d'eau minérale plate avec un million et demi de bouteilles expédiées chaque jour en France et dans plus de 60 pays.

D'autres eaux de source sont également présentes sur le marché, telles que Vichy Saint-Yorre, Vichy-Célestins, Châteauneuf, Sainte-Marguerite, la Cantoise...

Die Wirtschaft

Die Nahrungsmittelindustrie

Diese Firmen bringen echte Naturprodukte auf den Markt, die vom ernährungswissenschaftlichen Standpunkt aus den Anforderungen unserer modernen Lebensweise genügen.

Die Auvergne vertritt die Natur in reinster Form. Die Mineralwassergesellschaft Volvic verstand es, ein Geschenk dieser Natur mit einem kontinuierlichen Innovationsgeist inwertzusetzten. Sie schuf neue Produkte, Verpackungsformen und war stets auf technologischen Fortschritt bedacht. Die Ergebnisse bestätigen diese Bemühungen : Volvic verzeichnet z.Zt. die größte Produktionssteigerung unter den namhaften Erzeugern Stiller Wasser. Eineinhalb Millionen Flaschen werden jeden Tag in Frankreich und in mehr als 60 Ländern ausgeliefert.

Andere Marken auf dem Mineralwassermarkt sind Vichy Saint-Yorre, Vichy-Célestin, Châteauneuf, Sainte-Marguerite, la Cantoise...

Economy

Agrobiology

The products these firms put on the market are authentic, have been controlled, and take into account the dietary constraints of modern life.

Nature in its purest form - that is Auvergne. The corporation Eaux de Volvic knew now to take advantage of one of nature's gifts and to innovate continuously with its products, its packaging, and progressive technology. The result speaks for itself - the sales of Volvic are rising faster than those of other leading brands of natural mineral water ; one and a half million bottles are distributed daily throughout France and to more than 60 other countries.

Other bottled spring waters on the market are Vichy Saint-Yorre, Vichy-Célestins, Châteauneuf, Sainte-Marguerite, and la Cantoise...

Socopa Villefranche s'appuie sur la qualité des viandes et des services
Socopa Villefranche bürgt für beste Fleischwaren und exzellenten Service
Socopa Villefranche relies on the quality of its meat and service

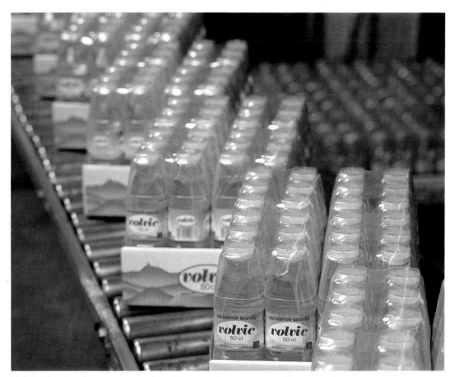

Volvic, la plus forte progression des grandes marques d'eau minérale plate
Volvic erzielt die stärksten Steigerungsraten unter den großen Marken der "Stillen Wasser"
Volvic - the fastest rising name of all natural water

L'économie

Le travail et la transformation des métaux

La décision d'implantation de Péchiney en Auvergne remonte à la veille de la deuxième guerre mondiale. Le site d'Issoire, aujourd'hui capitale européenne de l'aluminium, fut choisi pour sa situation géographique, la facilité d'approvisionnement en eau et en énergie électrique et la disponibilité de la main d'oeuvre. Aujourd'hui, Rhénalu lamine les nouveaux alliages aluminium-lithium à haute résistance et faible densité, fournit l'aéronautique, l'espace, l'armement, et plus de 70 % de sa production est exportée. Un important effort de formation est fait par l'entreprise par le biais d'un accord original avec l'éducation nationale.

Airforge S.A., implanté également à Issoire, est la première société de forge aéronautique. Filiale des groupes Usinor/Sacilor et Péchiney, elle est spécialisée dans la fabrication des grandes pièces en alliages d'aluminium et de titane, de pièces matricées pour les programmes Ariane, Airbus, Boeing... Cette entreprise, alliée à Aubert et Duval et la SNECMA, possède à Issoire la plus grosse presse à matricer du monde occidental, d'une puissance de 65 000 tonnes, au sein d'Interforge.

Aubert et Duval, présent dans les Combrailles, élabore et transforme des aciers spéciaux, des alliages et super-alliages de haute qualité destinés à satisfaire les exigences les plus élevées de toutes les industries de pointe.

Die Wirtschaft

Metall-und metallverarbeitende Industrie

Die Entscheidung, die Firma Péchiney in der Auvergne anzusiedeln, wurde kurz vor Ausbruch des Zweiten Weltkrieges getroffen. Für die Standortwahl von Issoire, das heute die Hauptstadt der europäischen Aluminiumproduktion ist, waren folgende Gründe ausschlaggebend : seine geographische Lage, das Vorhandensein von ausreichenden Kühlwassermengen und elektrischer Energie sowie ein Potential an Arbeitskräften. Rhénalu stellt heute auf seinen Walzstraßen leichte aber widerstandsfähige Bleche aus einer Aluminium-Lithium-Legierung her und liefert diese an Unternehmen im Flugzeug- und Raketenbau sowie an Rüstungsbetriebe. Mehr als 70 % der Produktion werden exportiert. Über einen geschickten Vertrag mit dem französischen Erziehungsministerium wird die Weiterbildung des Personals der Firma gefördert.

Airforge S.A., ebenfalls in Issoire ansässig, ist die führende Gießerei für den Flugzeugbau. Sie ist eine Filiale der Firmen Usinor/Sacilor und Péchiney, die auf die Herstellung großer Blechteile aus Aluminium- und Titanlegierungen spezialisiert ist. Sie liefert u.a. gestanzte Teilstücke für die Programme Ariane, Airbus und Boing. Mit den Partnerfirmen Aubert, Duval und SNECMA benutzt Airforge im Werk Interforge in Issoire die größte Stanzpresse der westlichen Welt mit einem Preßdruck von 65000 Tonnen. Aubert und Duval in Combrailles fertigen und verarbeiten Spezialstahl, Legierungen und Super-Legierungen höchster Qualität, die den Ansprüchen modernster Spitzenindustrien entsprechen.

Economy

The working and conversion of metals

Péchiney's decision to set up its plant in Auvergne goes back to the eve of the Second World War. The site chosen was Issoire, today the European aluminum capital. Its geographical position was ideal ; water and electricity could be provided easily ; and there was a ready supply of labor. At present, Rhénalu laminates new aluminum-lithium alloys which are highly resistant and of low density. It supplies materials used in the domains of aeronautics, aerospace, and armament, with more than 70 % of its production being exported. The firm devotes a large portion of its outlay to training programs by way of an inventive agreement with the national education office.

Airforge S.A., also located in Issoire, is the leading aeronautic metal forging plant. Subsidiary of the combined Usinor/Sacilor and Péchiney group, the company specializes in manufacturing - large parts made of aluminum and titanium alloys, casting molds for the projects of Ariane, Airbus and Boeing. Closely linked to Aubert and Duval and to the SNECMA, this company owns, within Interforge, the largest mold-casting press in the western world, with a force of 65,000 metric tons.

Aubert and Duval, in Combrailles, develop and convert metals, high-quality alloys and superalloys specially designed to meet the highest demands of any of the highly-specialized industries.

Interforge, la plus grosse presse à matricer du monde occidental
Interforge : Die größte Stanzpresse der westlichen Welt
Interforge : the largest drop forging press in the western world

L'Economie

Les métaux

Des fonderies telles que Bréa, à Montluçon, qui produit des pièces à base d'alliage d'aluminium pour l'industrie automobile, l'armée, l'aéronautique, ou Peugeot, à Sept-Fons, sont parmi les meilleurs exemples français de dynamisme dans ce secteur.

Combien d'autres encore remportent des succès incontestés sur leur marché ! Citons seulement :

JPM Chauvat Sofranq, premier fabricant européen de fermetures anti-panique, premier fabricant français de serrures de bâtiment, est présent à l'étranger par le biais de ses filiales au Maroc, en Italie, en Espagne et aux Etats-Unis, et exporte plus de 4 500 produits dans 35 pays.

Sermeto, 60 % du marché français des candélabres et mâts d'éclairage public en aluminium, exporte dans 55 pays.

Wichard, numéro 1 mondial de certains produits de l'accastillage, forge tous les métaux et fabrique des ébauches de prothèses articulaires en titane ou acier inoxydable.

France Lames, leader mondial en escrime avec 75 % du marché, a été choisi par Jean-François Lamour, médaille d'or au sabre à Séoul en 1988.

Dapta Mallinjoud, leader européen du décolletage de précision, a été la première entreprise de sous-traitance côtée au second marché de Lyon.

Die Wirtschaft

Metallverarbeitende Industrie

Die Gießerei Bréa in Montluçon liefert Teile aus Aluminium- Legierungen für die Autoindustrie, den Flugzeugbau und die Rüstung. Sie zählt mit dem Peugeot-Werk in Sept-Fons zu den führensten französischen Firmen in dieser Branche. Aus der Vielzahl anderer erfolgreicher Unternehmen können hier nur einige stellvertretend genannt werden :

JPM Chauvat Sofranq ist führender europäischer Hersteller für Schließmechanismen an Notausgangstüren und erster französischer Fabrikant von Türschlössern. Das Unternehmen hat Filialen in Marokko, Italien, Spanien und Amerika und exportiert mehr als 4500 Artikel in 35 Länder.

Sermeto beliefert 60 % des französischen Marktes mit Straßenleuchten und -masten aus Aluminium und exportiert in weitere 55 Länder.

Wichard verarbeitet alle gängigen Metalle weiter ; das Unternehmen ist weltweiter Spitzenproduzent für bestimmte Kettenschäkel und stellt Vorprofile für Gelenkprothesen aus Titan oder rostfreiem Stahl her. France Lames beherrscht 75 % des Weltmarktes auf dem Sektor der Fechtsportklingen (Degen, Floretts, Säbel). Jean-François Lamour, Goldmedalliengewinner von Seoul (1988), errang seinen Sieg mit einem Säbel dieses Hauses.

Dapta Mallinjoud ist ein führendes europäisches Unternehmen für die Fabrikation von Präzisionsteilen mit vollautomatisierten Drehbänken.Auf dem Lyonner Börsenmarkt sind die Aktien dieser Gesellschaft sehr hoch dotiert.

Economy

Metals

Foundries such as Bréa, at Montluçon - which manufacture parts made from an aluminum alloy for the automobile industry, the army, and the aeronautic industry ; or Peugeot, at Sept-Fons, are some of France's best examples of dynamic activity in this sector.

And how many others have met with overwhelming success on this market ? To name just a few :

JPM Chauvat Sofranq, Europe's number one maker of panic bar closures, and France's leading maker of industrial locks, is present abroad through its subsidiaries in Morroco, Italy, Spain and the United States, and exports more than 4,500 products to 35 other countries.

Sermeto, responsible for 60 % of the French market of branched-form street lights and aluminum street light posts, exports to 55 countries.

Wichard, Europe's leading manufacturer of certain parts of superstructures, works all metals and makes prototypes of articular prostheses in titanium or stainless steel.

France Lames the world's leading producer of equipment for the sport of fencing, and responsible for 75 % of the market, was chosen by Jean-François Lamour, winner of the Gold Medal in Fencing at Seoul in 1988.

Dapta Mallinjoud, Europe's leading producer of precision cutting instruments, was the first subcontracting firm quoted on the second market of Lyon.

Sermeto : 60 % du marché français de l'éclairage public en aluminium
Sermeto : Beliefert 60 % des französischen Marktes für öffentliche Beleuchtungsmasten aus Aluminium
Sermeto, 60 % of the French market for aluminium street lighting

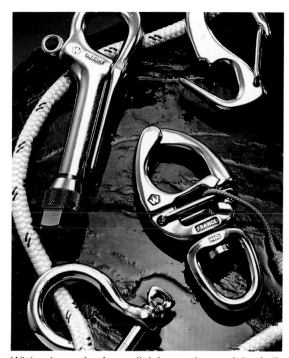

Wichard, numéro 1 mondial de certains produits de l'accastillage
Wichard : Nummer Eins der Weltliste für bestimmte Kettenschäkel
Wichard :World's leading manufacturer of certain superstructure products

France Lames, 75 % du marché mondial de l'escrime
France Lames : 75 % des Weltmarktes für Fechtsportartikel
France Lames : 75 % of the world fencing market

L'Economie

Les métaux

Les Ateliers de Mécanique du Centre fournissent des sous-ensembles et des pièces mécaniques de précision. Ils ont pour client les principales firmes d'automobiles, de machinisme agricole, de poids lourds, d'armement...et exportent en Europe, sur le continent nord-américain et en Afrique.

Les Ateliers de Constructions du Centre, au service de l'activité aérospatiale et des matériaux nouveaux, possèdent les agréments qui leur permettent de concourir pour les appels d'offre internationaux, civils et militaires.

M.G.T.I. (Mécanique Générale Transmissions Industrielles) est le spécialiste des arbres différentiels de transmission et propose un service complet à tous les secteurs d'activité mécanique nationaux et internationaux.

L'Auvergne a par ailleurs la particularité de regrouper des entreprises qui fabriquent des bouteilles pour gaz comprimés (S.M.G. Gerzat et Chevalier-Bertrand), des réservoirs pour air comprimé (Le Réservoir, SOLUNA) et des extincteurs (Aérofeu, Stop Fire, SFEME).

Certains industriels s'orientent vers les matériaux composites. Le groupe "CIEL" présente dans ce domaine une démarche originale, en regroupant l'ensemble des compétences nécessaires à l'étude et à la réalisation d'ensembles complexes au sein des trois composantes du groupe, à savoir Rex Composites (bureau d'études), Auvergne Aéronautique (tôlerie, chaudronnerie, montage, équipements pour l'aéronautique) et T 2 A - Techniques Avancées d'Auvergne (outillage et usinage).

Die Wirtschaft

Metallverarbeitende Industrie

Die "Ateliers de Mécanique du Centre" liefern mechanische Präzisionsteile und -bausätze. Die wichtigsten Abnehmer sind Automobilfirmen, LKW -und Landmaschinenhersteller sowie die Rüstungsindustrie. Der Betrieb exportiert nach ganz Europa, Afrika und Nordamerika.

Die "Ateliers de Constructions du Centre" verarbeiten neue Werkstoffe für die Luft -und Raumfahrtindustrie und sind befugt, bei öffentlichen Ausschreibungen im Militär- und Zivilbereich auf internationaler Ebene ihre Angebote einzubringen.

M.G.T.I. (Mécanique Générale Transmissions Industrielles) ist auf Differentialwellen spezialisiert und bietet eine Reihe von Serviceleistungen auf nationalem und internationalem Niveau für den Maschinenbau an.

In der Auvergne befinden sich auch verschiedene Firmen, die Druckbehälter herstellen, wie z.B. Gasflaschen (S.M.G. Gerzat und Chevalier-Bertrand), Gastanks (Le Réservoir, SOLUNA) und Feuerlöscher (Aérofeu, Stop Fire, SFEME).

Einige Unternehmen arbeiten im Breich der Kompositmaterialien. Die Firma "CIEL" hat hier einen interessanten Weg eingeschlagen. Sie hat drei Werksabteilungen, die alle Kompetenzen, von der Forschung bis zur Anfertigung, beherrschen : Rex Composites (Ingenieurbüro), Auvergne Aéronautique (Kesselbau, Blechverarbeitung, Montage, Ausrüstung für Luft-und Raumfahrzeugbau) und die Abteilung T 2 A - Techniques Avancées d'Auvergne (Werkzeuge und maschinelle Fertigung).

Economy

Metals

Les Ateliers de Mécanique du Centre supplies subsets and precision mechanical parts. Clients include the major manufacturers of automobiles, agricultural mechanization, trucks, and armaments. The firm exports to European countries, to North America, and to Africa.

Les Ateliers de Construction du Centre, serving in areas concerning aerospace and new materials, is fully qualified to compete for international, civil and military contractual bids.

M.G.T.I. (Mécanique Générale Transmissions Industrielles) is the specialist of differential gear axles and offers complete service to all areas of mechanical operations, both national and international.

Another distinctive feature of activity in Auvergne is the regrouping of manufacturers of bottles for compressed gas (S.M.G. Gerzat and Chevalier-Bertrand), compressed air containers (Le Réservoir, SOLUNA), and fire extinguishers (Aérofeu, Stop Fire, SFEME).

Some industrialists are turning to composite materials. In this domain, the firm "CIEL" has had an original approach. It has pooled all the skills needed for studying and carrying out complex combinations available from the three group members, namely Rex Composites (research), Auvergne Aéronautique (sheet metal manufacture, metalworking, assembling, aeronautical equipment), and T 2 A - Techniques Avancées d'Auvergne (equipment and manufacturing).

M.G.T.I. est le spécialiste des arbres différentiels de transmission
M.G.T.I. : Spezialist für Differentialtransmissionswellen
M.G.T.I. is the specialist of differential gear axles

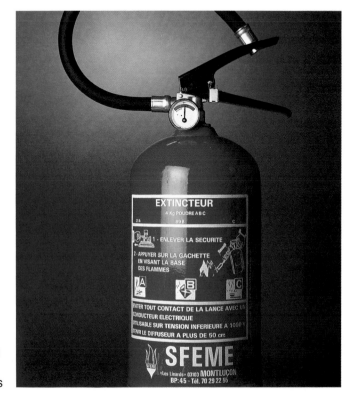

Le leader français des extincteurs à pression permanente : SFEME
SFEME : Führender französischer Hersteller für Feuerlöschgeräte
SFEME, the leading French maker of pressurized fire extinguishers

L'Economie

La chimie, la pharmacie et le génie biologique et médical

Rhône Poulenc Animal Nutrition est implanté à Commentry qui est ainsi l'un des tout premiers sites au monde pour la production de méthionine, de vitamine A et de vitamine E. Une ferme expérimentale et des laboratoires ultra-modernes placent l'entreprise à la pointe de l'innovation en nutrition animale.

A Vertolaye, Roussel Uclaf s'est implanté en 1939. Cette unité est un exemple de décentralisation réussie. Ce pôle chimique, avec ses 800 salariés, produit des principes actifs pour l'industrie pharmaceutique et exporte 70 % de sa production.

MSD Chibret, premier laboratoire pharmaceutique français, possède quatre usines et un centre de recherche en Auvergne. La gamme de produits mise sur le marché par MSD Chibret couvre les principales classes thérapeutiques : cardiologie, rhumatologie, neurologie, ophtalmologie, gastro-entérologie, maladies infectieuses... Près de la moitié du chiffre d'affaires est réalisée à l'exportation. Autre originalité de la présence du groupe en Auvergne, le Centre de Documentation ophtalmologique de Clémentel, créé en 1954, qui jouit d'une réputation mondiale. Il permet aujourd'hui aux ophtalmologistes d'avoir accès à la bibliothèque la plus complète du monde sur les maladies oculaires.

Die Wirtschaft

Chemie, Pharmazie und Biomedizinische Technik

Rhône Poulenc Animal Nutrition hat seinen Sitz in Commentry und gehört zu den weltersten Produzenten von Methionin, Vitamin A und Vitamin E. Im firmeneigenen landwirtschaftlichen Versuchsgut mit ultramodernen Forschungslabors, sucht man ständig nach Neuerungen im Bereich der Futtermittel.

Seit 1939 ist Roussel Uclaf in Vertolaye ansässig. Die Werksansiedlung gilt als ein gelungenes Beispiel der Dezentralisierung. Dieser Chemiekomplex mit 800 Beschäftigten stellt natürliche Wirkstoffe für die pharmazeutische Industrie her. 70 % der Produktion werden exportiert.

MSD Chibret, größtes pharmazeutisches Laboratorium Frankreichs, ist in der Auvergne mit vier Betrieben und einem Forschungszentrum vertreten. Die Produktpalette der Firma MSD Chibret deckt die wichtigsten therapeutischen Bereiche ab : Kardiologie, Rheumatologie, Neurologie, Ophtalmologie, Gastro-Enterologie und Infektionskrankheiten. Fast die Hälfte der Produktion ist für den Export bestimmt. MSD Chibret hat auch die Auvergne als Standort ihres Dokumentationszentrums für Augenheilkunde gewählt, das 1954 in Clémentel gegründet wurde und heute weltbekannt ist. Augenärzte aus aller Welt haben Zugang zu dieser einmaligen Fachbibliothek, die die vollständigste der Welt auf dem Gebiet der Augenkrankheiten ist.

Economy

Chemistry, pharmacy, applied biology and applied medicine

Rhône Poulenc Animal Nutrition is located in Commentry making it one of the very first sites in the world to produce methionine, vitamin A, and vitamin E. An experimental farm and ultra-modern laboratories have placed this firm at the forefront of innovative techniques and animal nutrition.

Roussel Uclaf came to Vertolaye in 1939. This unit is an example of successful decentralization. Acting as a chemical focal point, it employs 800 people and produces active constituents for the pharmaceutical industry, exporting 70 % of its products.

MSD Chibret, the leading pharmaceutical laboratory in France, has four plants and a research center located in Auvergne. The range of products put on the market by MSD Chibret covers the major therapeutic categories : cardiology, rheumatology, ophthalmology, gastroenterology, and communicable diseases. Nearly half of its turnover comes from exports. Another feature resulting from the presence of this firm in Auvergne is the Ophthalmological Documentation Center of Clémentel, created in 1954, which enjoys a worldwide reputation. Today this center gives ophthalmologists access to the world's most complete library on ocular diseases.

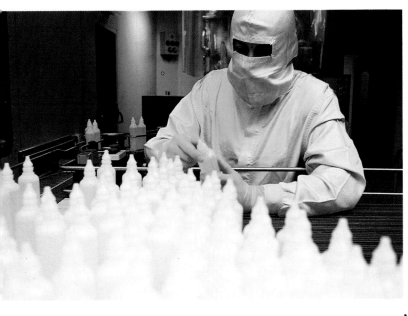

MSD Chibret, premier laboratoire pharmaceutique français
MSD Chibret : Das führende Pharma-Labor Frankreichs
MSD Chibret, the leading pharmaceutical laboratory in France

L'Economie

Chimie et Pharmacie

La capacité ininterrompue d'innovation et la place importante donnée à la recherche (l'investissement est de 55 millions de francs, pour un effectif de 140 personnes), la formation proposée aux hommes (13 % de la masse salariale) ont valu à MSD Chibret un classement révélateur dans le magazine l'Expansion, puisque les cadres lecteurs de ce support ont placé l'entreprise en troisième position pour l'image de marque qu'elle projette.

R.E.T.I., filiale du groupe néerlandais AKZO N.V., 660 personnes en Auvergne dont 150 chercheurs, vient d'y renforcer son implantation, confortant ainsi sa position de leader mondial dans la spécialité cardio-vasculaire. Ainsi, la nouvelle usine de Gannat, fortement automatisée, sera l'une des principales unités de production de comprimés du groupe. Les unités de Riom concentrent la recherche : pathologie cardio-vasculaire et centre de toxicologie. Les installations de Saint-Simon et Aurillac sont spécialisées dans les produits lyophilisés.

Die Wirtschaft

Chemie und Pharmazie

Die ständigen Innovationserfolge und die dominierende Stellung der Forschung (55 Millionen Franz, Francs bei einer Beschäftigtenzahl von 140 Pers.) sowie der Umfang der betrieblichen Fortbildung (13 % des Personals), verleihen MSD Chibret ein hohes Ansehen in Frankreich. Nach einer Umfrage bei den Lesern des Magazins Expansion (leitende Angestellte), hat das Unternehmen das drittbeste Firmen-Image Frankreichs.

R.E.T.I., eine Filiale der niederländischen Firmengruppe AKZO N.V., beschäftigt in der Auvergne 600 Mitarbeiter, darunter 150 Forscher. Das Unternehmen verstärkt zunehmend seine Marktposition und zählt zu den führenden Herstellern kardiovaskulärer Herzmittel. Das neue, stark automatisierte Werk in Gannat wird den Großteil der Tablettenproduktion der Firmengruppe übernehmen. Hauptaktivität der Vertretung in Riom ist die Forschung im Bereich der kardiovaskulären Pathologie und Toxikologie. Die Betriebe in Saint-Simon und Aurillac sind auf die Herstellung gefriergetrockneter Produkte spezialisiert.

Economy

Chemistry and Pharmacy

The uninterrupted ability to innovate, the emphasis placed on research (investments total 55 million francs for a staff of 140 persons), and the training programs available (to 13 % of the workforce) have been the reason for its indicative classification in the magazine L'Expansion ; executive readers of the publication placed MSD Chibret in third position for the firm's image.

R.E.T.I., subsidiary of the Dutch firm AKZO N.V., employs 660 people in Auvergne, including 150 researchers. The firm recently increased its activity in the region, confirming its leading position in the cardio-vascular field. Thus the new plant at Gannat, considerably automated, will be one of the major production units for medicine in tablet form. The units at Riom have grouped research areas - cardio-vascular pathology and a toxicology center. Plants set up in Saint-Simon and Aurillac specialize in freeze-dried products.

R.E.T.I., leader mondial dans le traitement des maladies cardiovasculaires
R.E.T.I. : Weltführend in der Behandlung kardiovaskulärer Krankheiten
R.E.T.I. is number one in the world for the treatment of cardio-vascular disease.

L'Economie

Génie biologique et médical

Le génie biologique et médical est aussi bien représenté en Auvergne. Les médecins, chercheurs, industriels et ingénieurs de la région sont convaincus que seule la mise en commun des progrès accomplis par chacun et la fabrication de matériels nouveaux et innovants, destinés aux marchés médicaux internationaux, aideront notre médecine à rester dans le groupe des médecines de pointe.

A cet égard, des axes privilégiés se dessinent en Auvergne. En ce qui concerne les lasers, la Société Biophysic Médical fabrique des lasers CO2, Yag, Pico et nanosecondes, Argon et Krypton, etc...

Dans le domaine des prothèses, l'Université et les industries collaborent étroitement. Ainsi, des laboratoires de la Manufacture Michelin ont participé à des études sur les prothèses de hanche et leur usure, les fixateurs externes très légers, les outils portegreffons dans les résections de mandibule et les plaques d'ostéosynthèse pour les fractures de la face et du rachis.

Ces travaux ont conduit à la réalisation d'un simulateur de hanche pour banc d'essai prothétique qui a fait intervenir une entreprise de Gerzat, MECAUV, et d'un fixateur externe avec l'entreprise Issoire Aviation.

Die Wirtschaft

Bio-und Medizinaltechnologie

Auch die Medizinaltechnologie ist in der Auvergne vertreten. Ärzte, Forscher, Ingenieure und Industrielle der Region sind davon überzeugt, daß nur eine Koordinierung der Erkenntnisse verschiedener Fachrichtungen sowie die Herstellung neuer bahnbrechender Materialien und Geräte für den internationalen "Medizinmarkt", Garant für eine weitere Spitzenstellung der regionalen Medizin sind.

In der Bio-und Medizinaltechnologie zeichnet sich in der Auvergne eine günstige Entwicklung ab. Biophysic Médical stellt verschiedene Lasertypen her (CO2, Yag, Pico und Nanosekunden, Argon und Krypton, usw...).

Im Bereich der Prothesen arbeiten Universität und Industrie eng zusammen. So z.B. haben sich die Forschungslabors der Manufaktur Michelin an folgenden Projekten beteiligt : Studien über Hüftprothesen und deren Verschleiß, über äußerlich anwendbare und sehr leichte Befestigungsapperaturen, Hilfsmittel für Porte-Transplantationen beim operativen Eingriff der Mandibula und der Ostéosynthese sowie für Brüche der Wirbelsäule und Gesichtsknochen.

Diese Studien führten zu konkreten Ergebnissen. MECAUV, ein Unternehmen aus Gerzat, hat einen Simulator für Hüftprothesen realisiert, die Firma Issoire Aviation eine extern anwendbare Befestigungsapperatur.

Economy

Applied Biology, applied Medicine

The applied fields of biology and medicine are also represented in Auvergne. The physicians, researchers, industrialists and engineers of the region are convinced that the knowledge gained by each, and the new and innovative materials developed individually, must be combined and shared if we are to remain among those at the forefront in the fields of medicine.

In this respect, two areas are being given special emphasis. The first is lasers ; the firm Biophysic Médical makes several types - CO2, Yag, pico - and nanosecond, argon, krypton, etc. The second area is prosthetics, in which the university and the industries are working closely together. Thus the laboratories of Manufacture Michelin have participated in studies on hip prostheses and their properties of durability, lightweight prosthetic braces, transplant instruments, used in mandibular resections, and osteoplastic grafts for facial and spinal fractures.

These projects led to the creation of an artificial hip joint for prosthetic experimentation, which called for the intervention of a firm located in Gerzat, MECAUV ; and to the creation of a prosthetic brace developed with the firm Issoire Aviation.

ADEV Electronic, une P.M.E. qui fournit les ''grands'' en électronique
ADEV Electronic : Ein mittelständisches Unternehmen, das die ''Großen'' der Elektronikbranche beliefert
ADEV Electronic : a small firm with a big role as supplier in electronics

L'Economie

L'électricité et l'électronique

De grandes entreprises sont nées en Auvergne. D'autres fondées ailleurs, ont eu des retombées régionales. La SAGEM possède une unité à Montluçon qui travaille notamment dans la micromécanique de haute précision, l'électrotechnique, l'électronique, l'optique et l'hydraulique.

Satcâbles, du Groupe SAT, à la pointe des technologies les plus avancées en matière de câbles coaxiaux, de téléphonie et de vidéocommunication s'est également imposée dans les fibres optiques qui permettent d'acheminer sur un axe unique, la voix, les images et les données informatiques avec une capacité quasiment illimitée. La SAT a été maître d'oeuvre pour Biarritz, première ville française câblée optique.

La Compagnie des Signaux et d'Equipements Electroniques (C.S.E.E.), leader européen des relais de sécurité ferroviaire, intervient dans la signalisation en cabine du TGV Atlantique, la motorisation des tourelles du char AMX Leclerc, les bornes de péage à Manhattan.

Landis et Gyr possède une unité à Montluçon.

Valéo, spécialiste mondial de l'équipement automobile, est en Auvergne, avec la Division "Systèmes électroniques et contrôle moteurs", un fleuron dans le domaine de l'électro-mécanique.

Le secteur de la défense est très présent avec Matra Manhurin.

De petites entreprises de pointe, en Auvergne, ont des clients internationaux dans les domaines de la communication, du médical, de l'informatique, de la hi-fi : ADEV Electronique, Circuits Imprimés Voreysiens, Mazet Electronique, Val d'Allier Electronique, S.E.I.C. Peintamelec, Akotronic...

Fisher Controls est spécialiste à Vichy des vannes de contrôle et des systèmes numériques pour la conduite des procédés industriels.

Die Wirtschaft

Elektrotechnik und Elektronik

In der Auvergne haben sich bedeutende Unternehmen dieser Branche mit einem Stamm - oder Zweigwerk niedergelassen. Das Werk Montluçon der SAGEM arbeitet in den Bereichen Feinmechanik, Elektrotechnik, Elektronik, Optik und Hydraulik.

Satcâbles Tochterunternehmen der SAT-Gruppe stellt u.a. hochleistungsfähige Koaxialleitungen und Kabel für Fernsprech-und Videotechnik her. Ihre Glasfaserkabel ermöglichen eine gleichzeitige Übertragung von Stimme, Bild und Computerdaten. SAT hat übrigens Biarritz als erste französische Stadt verkabelt.

Die Gesellschaft für elektronische Signale und Geräte (C.S.E.E.) ist europaweit führend auf dem Gebiet der Schutzrelais im Schienenverkehr. Sie realisierte auch die Signaleinrichtungen im Lokführerstand für den TGV Atlantique, die Motorisierung der Panzerdrehtürme für den Typ AMX Leclerc elektronische Teile der Mautstationen in Manhatten.

Landis und Gyr besitzten Produktionsstätten in Montluçon.

Ein sehr angesehener Betrieb in der Branche der Elektromechanik ist Valéo, ein Zulieferer der Automobilindustrie, der in der Auvergne seine Abteilung für "Elektronische Zündsysteme und Motorkontrolle" angesiedelt hat.

Die Rüstungsindustrie ist durch Matra Manhurin in Vichy vertreten.

Kleine und mittlere leistungsfähige Betriebe in der Auvergne, wie ADEV Electronique, Circuits imprimés Voreysiens, Mazet Electronique, Val d'Allier Electronique, S.E.I.C. Peintamelec und Akotronic, haben einen internationalen Kundenstamm auf dem Comuter-und Hi-Fi-Markt, im Bereich der Kommunikation sowie der Medizinaltechnologie.

Vichy ist der Sitz von Fisher Controls, Hersteller von Kontrolleinrichtungen und numerischen Systemen zur Steuerung industrieller Verfahren.

Economy

Electricity and Electronics

Several major firms have been created in Auvergne. In Montluçon, a division of la SAGEM works notably in the domain of high-precision micromechanics, electrotechnics, electronics, optics, and hydraulics.

Satcâbles, part of Groupe Sat, at the forefront of the most advanced technologies concerning coaxial cables, telephony and videocommunications, has also entered the field of fiber optics. This makes it possible to transmit by means of a single axis, voice, image and data ; the possibilities of application are virtually unlimited. Sat was in charge of the project which made Biarritz the first city in France to have optical cable signalling.

The C.S.E.E. (Electric and Electronic Signs Company), Europe's leading maker of railway security relaying systems, has contributed to work on the signalling system of the TGV Atlantique, motorization of the turrets of the AMX Leclerc, and tollbooths in Manhattan.

Landis et Gyr has a division in Montluçon.

Valéo, world specialist in automobile equipment, is located in Auvergne through its "Electronic Systems and Motor Control" division, a gem in the domain of electro-mechanics.

The sector of defense is well represented by Matra Manhurin in Vichy.

Several small specialized firms serve an international clientele in the areas of communications, medicine, data processing, and hi-fi equipment - ADEV Electronique, Circuits Imprimés Voreysiens, Mazet Electronique, Val d'Allier Electronique, S.E.I.C. Peintamelec and Akotronic.

Fisher Controls, in Vichy, specializes in the manufacture of control gates, and numerical systems for the functioning of industrial operations.

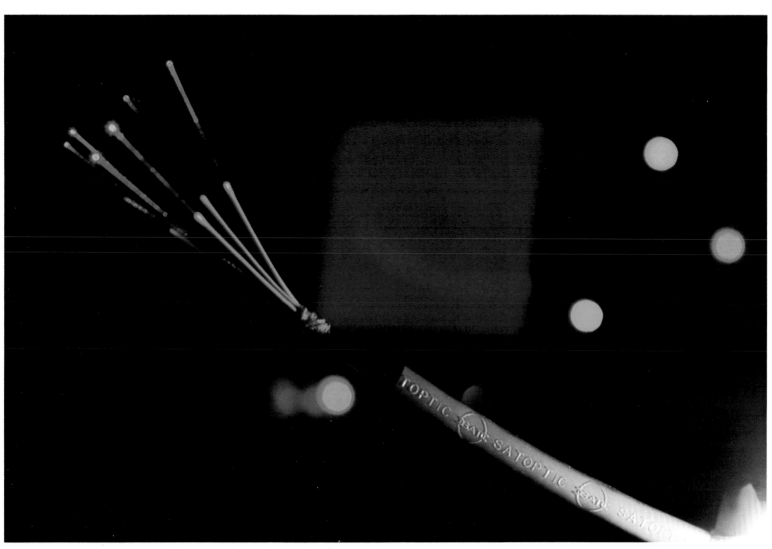

Satcâbles s'est imposé dans le domaine des fibres optiques.
Satcâbles : Führend auf dem Gebiet der Glasfaserkabel
Satcâbles has made its name in the field of fiber optics

L'Economie

La filière bois - le bâtiment et les travaux publics

La forêt couvre 25 % du territoire régional, avec une répartition entre feuillus et résineux différente selon les départements. Ainsi, 85 % de la superficie forestiale de l'Allier est composée de feuillus dont la remarquable fûtaie de chênes de Tronçais, l'une des plus belles d'Europe. La qualité de ce bois est très recherchée et il est certain que le cognac n'aurait pas si belle couleur s'il ne veillissait pas en fûts de chêne de Tronçais. Une manifestation de dimension internationale, ''Les Forestiales de Tronçais'', vise tous les deux ans à promouvoir ce potentiel.

Partout, les entreprises de sciage, de première et seconde transformation, sont bien représentées. Avec la Scierie de la Dore, le Puy-de-Dôme possède une des scieries les plus modernes d'Europe. Le Cantal conçoit et fabrique des cuisines à Aurillac (Jean Gilet, Fagilux), des meubles en panneaux stratifiés (Lafa), des meubles de puériculture (Combelle). La Haute-Loire, où dominent les résineux, fabrique des maisons à ossature de bois (Pierre et Bois au Puy-en-Velay).

Gros consommateur de bois, le Bâtiment compte dix mille entreprises.

Dans le domaine des travaux publics, MATIERE a exporté sa technologie du béton armé et produit plus de 900 ouvrages d'art routiers ou ferroviaires.

Die Wirtschaft

Holzwirtschaft, Bauindustrie, Hoch- und Tiefbau

25 % der Auvergne sind von Wald bedeckt. Der Anteil von Laub- oder Nadelwald variiert je nach Departement. So sind z.B. 85 % des Waldbestandes im Allier Laubwald. Der Eichenhochwald in Tronçais ist einer der schönsten Europas. Das Holz aus diesen Baumbeständen ist aufgrund der hohen Qualität sehr gefragt. Der Cognac hätte sicher nicht eine so schöne Farbe, wenn er nicht in den alten Fässern aus dem Eichenholz von Tronçais lagern würde. Um dieses wertvolle Potential bekannter zu machen, findet alle zwei Jahre eine internationale Holzmesse ''Les Forestiales de Tronçais'' statt.

In der ganzen Region befinden sich Sägewerke, die das Holz zu Roh- oder Halbfertigprodukten weiterverarbeiten. Das Sägewerk ''Scierie de la Dore'' im Departement Puy-de-Dôme gehört zu den modernsten Europas. Im Departement Cantal befinden sich verschiedene Möbelfabrikanten. Jean Gilet und Fagilux in Aurillac entwerfen und bauen Küchenmöbel, Combelle Kindermöbel und Lafa Möbel aller Art aus Holzfaserplatten. In le Puy-en-Velay in der Haute-Loire, wo es vorwiegend Laubwald gibt, baut die Firma Pierre et Bois Häuser, deren tragende Teile aus Holz sind.

Auch das Baugewerbe mit seinen 10.000 Betrieben hat einen großen Bedarf an Holz.

Das bedeutenste Hoch-und Tiefbauunternehmen ist MATIERE. Es hat mit einer selbst entwickelten Stahlbeton-Technik internationale Erfolge und bislang gut 900 Großbaustellen im Straßen-und Eisenbahnbau realisiert.

Economy

The timber division - the building industry and civil engineering

Forest land covers 25 % of the region, and is composed of both hardwood and softwood forests according to the particular department. Thus 85 % of the forest area of the Allier department is made up of hardwood trees, including the remarkable oak forest of Tronçais, one of the most beautiful in Europe. This wood is much sought-after for its quality ; it is certain that cognac would not have such a beautiful color were it not aged in vats made of oak of Tronçais. An event of international importance ''Les Forestiales de Tronçais'' which takes place every two years, aims to promote the area's potential.

Sawmills, dealing with primary and secondary processing are located throughout the area. The Puy-de-Dôme department has one of the most modern factories in Europe, Scierie de la Dore. In the Cantal department, kitchen furnishings are designed and manufactured in Aurillac (Jean Gilet, Fagilux), laminated furniture is made by Lafa, and nursery furniture, by Combelle. In the Haute-Loire department, where softwood forests are dominant, frame houses are built by Pierre et Bois in Puy-en-Velay.

There is a high consumption of wood in the building industry which has ten thousand factories in the region.

In the domain of civil engineering, MATIERE has exported its technology in the field of reinforced concrete and produced more than 900 examples of roadway and railway creations.

Une des plus belle fûtaie de chênes d'Europe est dans la Forêt de Tronçais (Allier)
Einer der schönsten Eichenhochwälder Europas befindet sich bei Tronçais
One of Europe's most beautiful oak forests is to be found in the Tronçais Forest

Les entreprises d'Auvergne misent sur la qualité
Die Firmen der Auvergne setzen auf Qualität
Firms in Auvergne wager on quality

L'Economie

Un centre stratégique
L'artisanat est l'expression de nombreux talents et d'un goût prononcé pour l'esprit d'entreprise et la création individuelle.

La grande entreprise peut compter sur de nombreux fournisseurs spécialisés et sous-traitants, tant dans le domaine de la haute technologie que dans l'industrie lourde.

L'Auvergne est un milieu favorable aux entreprises. La qualité de sa main d'oeuvre, son réseau de transport et de communication qui la place chaque jour davantage sur les grands axes européens, son environnement porteur de recherche et de formation et son cadre de vie exceptionnel en font une implantation de choix pour les investisseurs. Déjà, des entreprises telles que le SERNAM, Bourgey Montreuil, Rockwool, C.T.L. ou Polyflex ne s'y sont pas trompées. Elles ont vu dans l'Auvergne une place stratégique importante au coeur de l'Europe.

Die Wirtschaft

Ein strategisches Zentrum
Das Handwerk bringt zahlreiche Talente hervor, und häufig stößt man auf einen besonderen Unternehmens-und Erfindungsgeist.

Den Großunternehmen stehen zahlreiche Spezial-Zulieferfirmen und Subunternehmen zu Verfügung, von der Schwerindustrie angefangen bis hin zu Betrieben der Spitzentechnologie.

Die Auvergne verfügt über günstige Standortfaktoren : qualifizierte Arbeitskräfte, ein gut ausgebautes Verkehrs-und Nachrichtennetz, das sich Tag für Tag noch stärker an die großen europäischen Kommunikationsachsen anschließt ; ein breites Bildungs-und Forschungsangebot sowie eine außerordentlich schöne Landschaft mit hohem Freizeitwert. Ausreichende Gründe, um hier zu investieren. Firmen, wie z.B. SERNAM, Bourgey Montreuil, Rockwool, C.T.L. oder Polyflex sind hier schon angesiedelt. Sie haben eine gute Wahl getroffen, indem sie die strategisch wichtige Lage im Herzen Europas erkannt haben.

Economy

A strategic center
The work of artisans represents a number of different talents and a definite flair for the spirit of enterprise and individual creativity.

Large firms can count on many specialized and subcontracting suppliers, in the domain of high technology as well as in heavy industry.

Auvergne provides the ideal surroundings for such firms. The quality of its laborforce, its network of transportation and communication which draws it each day farther into the mainstream of European commercial conveyance, its environment favorable to research and training, and the exceptional opportunities for a pleasant lifestyle here make Auvergne a choice location for investors. Already, companies such as SERNAM, Bourgey Montreuil, Rockwool, C.T.L. and Polyflex have not regretted their choice ; they were able to see Auvergne as an important, strategic spot, in the heart of Europe.

L'Auvergne, une place stratégique pour le SERNAM
Die Auvergne, Zentrum für den Zustelldienst SERNAM
Auvergne : a strategic location for SERNAM

L'Economie

Un pôle de recherche et de formation

Toutes ces réalisations ont été rendues possibles par une formation supérieure qui offre à plus de 20 000 étudiants un choix complet dans les domaines littéraires, scientifiques, médicaux, juridiques, économiques, technologiques. Ils trouvent une gamme très étendue de disciplines dans les deux universités, dont une, Clermont II, est patronnée par Blaise Pascal, illustre Auvergnat inventeur de la machine à calculer. Trois écoles délivrent chaque année 250 diplômes d'ingénieur : le C.U.S.T. (Centre Universitaire des Sciences et Techniques), l'E.N.I.T.A. (Ecole Nationale d'Ingénieurs des Techniques Agricoles), l'E.N.S.C.C.F. (Ecole Nationale Supérieure de Chimie de Clermont-Ferrand). Une quatrième école d'ingénieurs, l'Institut Français de Mécanique Avancée, ouvrira ses portes en 1991. Elle a l'appui des grandes industries de la mécanique présentes en Auvergne.

D'autres écoles préparent aux métiers du tourisme, de l'hôtellerie. Deux I.U.T. (Institut Universitaire de Technologie), à Clermont-Ferrand et Montluçon, forment des techniciens supérieurs.

Sup' de Co est classée parmi les meilleures écoles françaises de commerce et d'administration des entreprises : plusieurs milliers de candidats y briguent chaque année les places disponibles. Le C.F.C.C. (Centre de Formation Continue et Conseil) et l'I.F.C.I. (Institut de Formation au Commerce International), autres composantes du Groupe "Ecole de Commerce", forment chaque année les collaborateurs des grandes entreprises régionales et extra-régionales.

Die Wirtschaft

Ein Zentrum der Lehre und Forschung

Ein umfassendes Universitäts-und Hochschulsystem der Region ermöglichte die Realisierung vorher genannter Projekte. Mehr als 20.000 Studenten finden einen Studienplatz an den verschiedenen Fakultäten der zwei Universitäten von Clermont-Ferrand : (Geistes-und Naturwissenschaften, Technologie, Jura und Wirtschaftswissenschaften sowie Medizin). Die Universität Clermont II trägt den Namen eines berühmten Landsmannes, "Blaise Pascal", dem Erfinder der Rechenmaschine. Drei technische Hochschulen bilden jährlich 250 Diplomingenieure aus : das C.U.S.T. (Universitätszentrum für Naturwissenschaften und Technik), die E.N.I.T.A. (Nationale Hochschule für Agraringinieure) und die E.N.S.C.C.F. (Nationale Hochschule für Chemie, Clermont-Ferrand). Für 1991 ist die Eröffnung einer weiteren Technischen Hochschule für Maschinenbau vorgesehen, die von regionalen Betrieben dieses Sektors materiell unterstützt wird.

Andere Fachschulen bereiten auf Berufe im Tourismus oder Hotelgewerbe vor. Zwei I.U.T's (der Universität angeschlossene Institute für Technologie) in Clermont-Ferrand und Montluçon bilden Techniker aus.

Die 'Sup de Co' (Kurzname für die Wirtschaftshochschule von Clermont-Ferrand) gehört zu den besten Ausbildungsstätten Frankreichs für den Führungsnachwuchs in der Privatwirtschaft. Tausende von Kandidaten unterziehen sich Jahr für Jahr den extrem harten Zulassungsverfahren für eine nur sehr beschränkte Anzahl von Studienplätzen an dieser Wirtschaftshochschule. Ihr angeschlossen sind zwei Institute für die betriebliche Weiterbildung von leitenden Angestellten der Region oder anderer Gebiete Frankreichs : Das C.F.C.C. ist ein Ausbildungszentrum für Weiterbildung und Beratung, das I.F.C.I. ein Institut für Internationalen Handel.

Economy

A focal point of research and training

All of these achievements have been made possible by advanced training, offering to more than 20,000 students a complete range of choices in the domains of literature, science, medicine, law, economics, and technology. They find a wide variety of courses in the two universities, one of which (Clermont II) has as its patron Blaise Pascal, the illustrious Auvergnat inventor of the calculating machine. Three schools confer each year 250 different engineering degrees - the C.U.S.T. (University Center of Science and Techniques), the E.N.I.T.A. (National School of Engineers of Agricultural Techniques), the E.N.S.C.C.F. (National School of Chemistry of Clermont-Ferrand). A fourth engineering school, (The French Institute of Advanced Mechanics), will open its doors in 1991. It has the support of the large mechanics industries located in Auvergne.

Other schools offer programs giving training in the professions of tourism and hotel management. Two university institutes, or I.U.T. (University Institute of Technology), at Clermont-Ferrrand and Montluçon, train high-level technicians. Sup' de Co (nickname for the university-level school of commerce, Ecole Supérieure de Commerce) is ranked among the best French schools for commerce and business administration - several thousands of applicants compete each year to be among those accepted. The C.F.C.C. (Center for Continuing Education and Guidance) and the I.F.C.I. (Training Institute for International Commerce), other members of the "School of Commerce" Group, train each year the collaborators of the large regional and extra-regional firms.

Les métiers de la scénographie sont développés à l'Ecole Nationale d'Architecture
Die ''Nationale Hochschule für Architektur'' bildet Bühnengestalter aus
The National School of Architecture develops scenography career possibilities

L'Economie

Recherche et Formation
L'Ecole Nationale d'Architecture propose un complément post-diplôme original concernant la scénographie.
De l'Ecole Nationale des Impôts sortent des spécialistes des finances.
A Vichy, le CAVILAM (Centre Audiovisuel de Langues Modernes) enseigne le français à des étudiants étrangers venus des cinq parties du monde, et les langues étrangères à des Français.
Le Centre National des Arts et Métiers (C.N.A.M.), l'Institut de Formation Alternée à la Gestion (I.F.A.G.) dispensent une formation professionnelle de qualité.
Le Groupe "Ecoles de Cadres", l'Ecole Régionale des Beaux Arts, l'E.N.I.L. (Ecole Nationale de l'Industrie du Lait et de la Viande), l'Ecole des Managers élargissent l'éventail des possibilités offertes.
Ces universités, ces grandes écoles d'ingénieurs participent à la dynamique de l'environnement des entreprises implantées en Auvergne.
Chaque grande école a son centre de recherche et il n'est guère d'industrie de quelque importance qui n'ait aussi le sien. Particulièrement développés sont ceux du caoutchouc, de la pharmacie, de la production animale, de la biologie végétale, de la physique corpusculaire et nucléaire et des polymères. Les uns et les autres collaborent étroitement.

Die Wirtschaft

Forschung und Lehre
Die Nationale Architekturhochschule bietet ein Ausbaustudium für Bühnengestalter an ; für Finanzfachleute gibt es die Staatliche Finanzhochschule.
Das CAVILAM in Vichy (Audiovisuelles Zentrum für moderne Sprachen) erteilt ausländischen Studenten, die aus aller Welt hierherkommen, Französischunterricht und bietet Fremdsprachenkurse für französische Interessenten an.
Das C.N.A.M. ist eine Art von Förderungszentrum für die handwerklichen Künste, das I.F.A.G. bildet hochqualifizierte Angestellte aus.
Eine Vielzahl von Bildungsinstitutionen erweitern das regionale Ausbildungsangebot : die "Ecole des Cadres" adressiert sich an leitende Angestellte, die E.N.I.L. an die Beschäftigten der Milch- und Fleischindustrie. Ferner verfügt die Auvergne noch über eine Manager- und Kunsthochschule.
Alle o.g. Bildungseinrichtungen partizipieren aktiv an dem Wirtschaftsgeschehen der Region. Hochschulen und Betriebe verfügen über Forschungslabors und arbeiten eng zusammen. Besonders hoch entwickelte Bereiche sind der Kautschuk, die Pharmazie, Viehzucht, Futtermittelproduktion, Körper-, Nuklear- und Polymerphysik.

Economy

Research and training
The National School of Architecture offers an original, complementary graduate degree in scenography.
Out of the National School of Taxation come specialists in financing.
In Vichy, the CAVILAM (Audio-visual Center for Modern Languages) teaches French to foreign students coming from the four corners of the world and, foreign languages to the French.
The National Center for Industrial Arts (C.N.A.M.), and the Institute of Practical Training for Management (I.F.A.G.) offer high-quality professional training.
The "Schools of Executives" group - the Regional School of Fine Arts, the E.N.I.L. (National School of the Milk and Meat Industry), and the School of Managers broaden the range of opportunities.
These universities and professional schools of engineering contribute to the dynamic nature of the environment in which firms are located in Auvergne.
Each professional school has its research center, and there is hardly an industrial firm of significant size without its own center as well. Particularly well-developed are those in the fields of rubber, pharmacy, animal produce, plant biology, corpuscular and nuclear physics, and polymers. All of these work closely with one another.

Les écoles dispensent une gamme étendue de formations
Die Hochschulen bieten zahlreiche Ausbildungsprogramme an
Schools offer a wide range of training programs

L'Economie

Recherche et formation

Ainsi, la recherche pharmaceutique est développée notamment dans les domaines pharmacologique et cardiovasculaire, grâce à l'existence d'un tissu industriel important, renforcé par la présence de deux unités INSERM, du C.N.R.S., de l'I.N.R.A. et d'enseignements supérieurs en pharmacie dispensés par l'Université Clermont I.

La présence d'industries sur le créneau porteur des polymères a favorisé, au sein des laboratoires de l'Université Blaise Pascal, les études dans ce domaine. Un grand pas a été franchi en 1987 avec la mise en place du Centre National d'Evaluation de la Photoprotection (C.N.E.P.), Société Anonyme filiale de l'Université Blaise Pascal.

L'Auvergne, pôle national pour la viande et les produits carnés, est une réalité. Cette orientation sur la viande s'est développée à partir de 1974, année de la création de l'Institut de la viande. Cet institut regroupe l'I.N.R.A., les deux universités et le CEMAGREF (Centre National du Machinisme Agricole, du Génie Rural, des Eaux et Forêts). En 1987, était inaugurée la plate-forme d'essai de l'A.D.I.V. (Association pour le Développement de l'Institut de la Viande), outil unique en France. Cette structure, l'une des plus modernes d'Europe, est installée sur 1 600 m² et dispose d'équipements spécifiques en ateliers et d'une équipe pluridisciplinaire d'ingénieurs, techniciens, électroniciens et professionnels de la viande.

Die Wirtschaft

Forschung und Lehre

Verschiedene Faktoren haben die Kardiovaskuläre- und die Pharmaka-Forschung begünstigt. Neben der Pharmazeutischen Fakultät und einschlägigen Industriebetrieben, haben auch nationale Forschungsstätten wie das INSERM, das C.N.R.S. und das I.N.R.A., erheblich zu dieser Entwicklung beigetragen.

Auch auf dem Gebiet der Polymer-Chemie hat die Anwesenheit industrieller regionaler Betriebe die Forschungstätigkeit in den Versuchslabors der Universität Blaise Pascal gefördert.

Von besonderer Bedeutung war auch die Errichtung des Nationalen Zentrums für die Evaluierung der Photo-Protektion (C.N.E.P.) im Jahre 1987, das unter dem Status einer Aktiengesellschaft als Filiale der Universität Blaise Pascal funktioniert.

Zweifellos ist die Auvergne eine der wichtigsten Erzeugerregionen von Fleisch und daraus weiterverarbeiteten Produkten in Frankreich.

Dieser wirtschaftliche Schwerpunkt wurde durch die Gründung eines Fleisch-Institutes wesentlich begünstigt. Diesem Institut gehören verschiedene Institutionen an, wie z.B. die beiden Clermonter Universitäten, das I.N.R.A. (Nationales Institut für landwirtschaftliche Forschung) und das CEMAGREFF (Nationales Zentrum für Landbau, Forst- ebenfalls Wasserwirtschaft).

1987 wurde die Versuchsbank der A.D.I.V. (Verein zur Förderung des Fleischinstitutes) eingeweiht, eine bislang in Frankreich einzigartige Einrichtung dieser Art, die auch zu den modernsten Europas zählt. Sie befindet sich auf einem 1600 qm großem Gelände und verfügt über Spezialateliers sowie ein interdisziplinäres Team von Ingineuren, Technikern, Elektronikern und Fleischfachleuten.

Economy

Research and training

Thus pharmaceutical research is highly developed, notably in the fields of pharmacology and cardio-vascular study, thanks to the existence of an extensive industrial network, made even more effective by the presence of two divisions of INSERM - the C.N.R.S. (National Center for Scientific Research) and the I.N.R.A. - and the university-level studies in pharmacy at the University of Clermont I.

The presence of industries concerned with polymers has encouraged studies in this field, within the laboratories of Blaise Pascal University. A big step was taken in 1987 with the setting up of the National Center for Evaluation of Photoprotection (C.N.E.P.), a limited company, and subsidiary of Blaise Pascal University.

Auvergne is truly the national focal point for meat and meat products. This orientation towards meat began in 1974, the year the Institute of Meat was created. The institute groups together the I.N.R.A., the two universities, and the CEMAGREF (National Center for Agricultural Mechanization, Rural Engineering, and Forestry). In 1987 the test platform of the A.D.I.V. (Association for Development of the Institute of Meat) was inaugurated, the only tool of its kind in France. This structure, one of the most modern in Europe, is set out in a 1,600 - square meter area, and has scientific workshop equipment at its disposal, and an interdisciplinary team of engineers, technicians, electronics specialists and professionals in the field of meat.

L'Auvergne est un pôle de la recherche sur la viande
Auvergne : Forschungszentrum für Fleischproduktion
Auvergne is a focal point of meat research

L'Economie

Recherche et formation

La présence du premier centre régional de l'I.N.R.A., qui emploie 630 agents, dont 230 chercheurs, est fondamentale. Les thèmes de recherches étudiés concernent les productions animales (alimentation, nutrition, pathologie nutritionnelle et économie de la production des bovins, ovins et chevaux). Hormis la filière viande, ce centre s'intéresse également aux productions végétales, aux industries agro-alimentaires (dont la conservation et la transformation des produits carnés) et aux biotechnologies.

Les laboratoires de la région ont un regard européen. Dans le cadre d'Esprit II, le Laboratoire de Physique des Milieux Condensés de l'Université Blaise Pascal est le pilote d'un consortium européen sur les semi-conducteurs. Le Laboratoire d'Electronique fait partie d'un programme européen Prometheus dont le thème porte sur "l'automobile de demain" et auquel participent des grands industriels européens de l'automobile.

Une passerelle entre les laboratoires de recherche et les entreprises est indispensable. C'est la mission du Pôle Technologique CASIMIR, qui aide et stimule les industries par les moyens de l'innovation et de la recherche.

L'existence de CASIMIR permet aux industriels de la région d'avoir accès, par le biais des conseillers technologiques, à des équipements scientifiques lourds présents dans les laboratoires de recherche des universités, du C.N.R.S....

Die Wirtschaft

Forschung und Lehre

Mit 630 Angestellten (darunter 230 Forscher) ist die regionale Vertretung des "Nationalen Forschungszentrums für Landwirtschaft" die größte des Landes. Seine Forschungsschwerpunkte liegen im Bereich der Tierproduktion (Futler- und Nahrungsmittel, Ernährungspathologie, wirtschaftliche Aspekte der Rinder-, Schafs- und Pferdezucht).

Weitere Forschungsgebiete sind die Pflanzenproduktion, die Nahrungsmittelindustrie (bes. Weiterverarbeitung und Konservierungsverfahren für Fleischwaren) sowie die Biotechnologie. Einige regionale Forschungsstätten sind an europäischen Kooperationsprojekten beteiligt.

Das "Physikalische Forschungslabor für Kondenz-Milieus" der Universität Blaise Pascal, ist die treibende Feder eines Konsortiums für Halbleiter im Programm Esprit II. Das Institut für Elektronik ist Partner im Programm Prometheus. In Zusammenarbeit mit namhaften Automobilfirmen wird hier am "Auto von Morgen" geforscht.

Die Zusammenarbeit zwischen Industrie und Forschung wird von der Institution CASIMIR gefördert. Diese ermöglicht den Unternehmern der Region nach einer eingehenden Beratung den Zugang zu aufwendigen Forschungseinrichtungen der Universitäten und nationaler Wissenschaftsinstitute. Sie werden von Technikern und Assistenten beraten.

Economy

Research and training

The presence of the leading regional center of the I.N.R.A., which employs 630 agents, including 230 researchers, is a basic necessity. The areas researched concern animal production (diet, nutrition, nutritional pathology and the economics of bovine, ovine and horse production). Apart from the meat division, this center is also concerned with plant production, agrobiological industries (including the conservation and conversion of meat products), and biotechnologies.

The laboratories of the region have a European outlook. Within the context of "Esprit II", the laboratory of Physics of Condensed Mediums of the Blaise Pascal University is the pilot of a European consortium on semiconductors. The Laboratory of Electronics is part of the European program "Prometheus" whose theme concerns the "automobile of tomorrow" and which is being carried out with the participation of several major European automobile industrialists.

A link between the research laboratories and industry is essential. This is the role of Pôle Technologique CASIMIR who assists and stimulates the industries through innovation and research.

CASIMIR makes it possible for the industrialists of the region to have access to, through the intermediary of technological advisors, massive scientific equipment in the research laboratories of the universities, and the C.N.R.S.

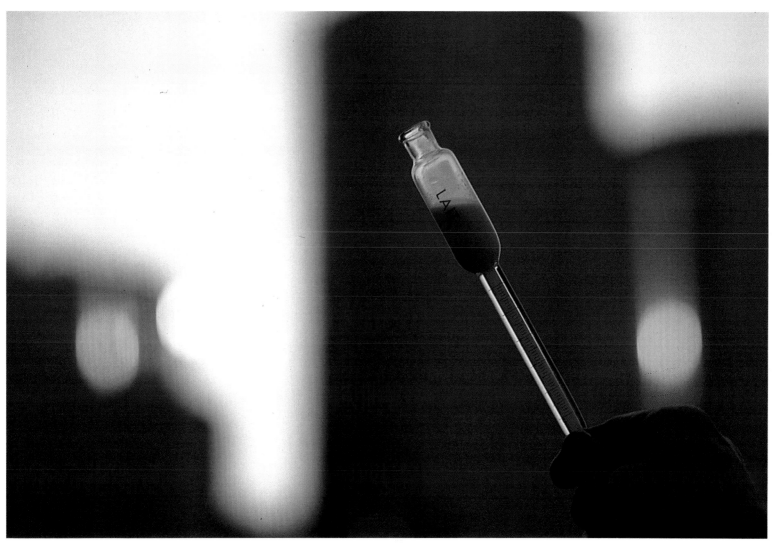

La passerelle entre industrie et recherche existe avec CASIMIR
CASIMIR : Vermittler zwischen Industrie und Forschung
CASIMIR serves as a link between industry and research

L'Economie

L'avenir

Pour s'adapter encore mieux aux particularités du tissu économique, CASIMIR investit par ailleurs dans des équipements spécifiques. CASIMIR propose ses services aux petites et moyennes entreprises de la région qui souhaitent assurer leur avenir par la mise en oeuvre de nouvelles technologies. Ses compétences concernent essentiellement l'agro-alimentaire, les polymères et matériaux composites, la métallurgie, la micro-électronique, l'automatisme, la conception et la fabrication assistée par ordinateur, la mesure et le contrôle de qualité.

Une action spécifique est menée sur le design, en relation avec d'autres partenaires. L'Institut Régional du Design a pour mission de promouvoir le design et la conception de produits industriels ainsi que les nouvelles techniques de communication. La sensibilisation qui est faite auprès des entreprises a pour objectif de permettre à celles-ci de présenter sur les marchés des produits adaptés aux besoins, fiables et attractifs. L'Auvergne, région à taille humaine, favorise l'épanouissement des hommes et des entreprises. Son rayonnement international s'intensifie. Outre les accords passés directement par les entreprises et les centres de formation et de recherche, l'Auvergne a des échanges avec des régions du monde, telles que la Hesse (République Fédérale d'Allemagne), le Shanxi (Chine). Elle développe par ailleurs des accords avec des pays (Etats Unis, Canada) et met en place des procédures qui permettent à ses entreprises de mieux exporter en bénéficiant par exemple de cadres export à temps partiel avec des "Volontaires du Service National en Entreprises" basés en Italie et dans la République Fédérale d'Allemagne.

L'Auvergne est une région en pointe au coeur de l'Europe.

Die Wirtschaft

Zukunftstendenzen

CASIMIR investiert fortlaufend in neue technische Einrichtungen, um sich noch besser den ökonomischen Gegebenheiten der Region anzupassen. Es stellt sein Dienstleistungsangebot besonders klein- und mittelständigen Betrieben zur Verfügung, die sich neuen Technologien öffnen möchten. Seine wichtigsten Branchen sind : Nahrungsmittelindustrie, Polymer-und Kompositstoffe, Metallverarbeitung, Meß-und Qualitätskontrolle.

Ein besonderes Programm ist dem Deseign und Nachbardisziplinen gewidmet. Das Regionale Institut für Formgestaltung hat die Zielsetzung, neue Maßstäbe im Deseign, in Techniken und Strategien für industrielle Produkte zu setzen. Es gehört auch zu seiner Aufgabe, Unternehmer für diese Marktaspekte zu sensibilisieren, damit sie attraktive, zuverlässige und der Nachfrage entsprechende Produkte anbieten. Die Auvergne ist noch "übersichtlich" und begünstigt eine freie Entfaltung der Menschen, die hier wohnen und der wirtschaftlichen Aktivitäten. Gleichzeitig wächst ihre internationale Ausstrahlung. Abgesehen von privatwirtschaftlichen Kooperations- und Forschungsabkommen, unterhält die Auvergne Gebietspartnerschaften, wie z.B. mit dem Land Hessen in der Bundesrepublik oder mit der Provinz Shanxi in der Volksrepublik China.

Weitere Partnerschaftsabkommen mit den Vereinigten Staaten und Kanada sind in Vorbereitung. Im Bereich der Exportförderung geht die Auvergne auch originelle Wege. Unternehmen können im Rahmen einer Ersatzdienstregelung junge Exportfachleute als Teilzeitbeschäftigte z.B. in Italien oder in der Bundesrepublik prospektieren lassen.

Die Auvergne nimmt eine wirtschaftliche Spitzenstellung im Herzen Europas ein.

Economy

The future

In an effort to fully adapt itself to the particularities of the economic network, CASIMIR is also investing in specially-designed equipment. CASIMIR offers its assistance to regional firms of all sizes who wish to secure a better future for themselves through expansion into new technologies. Its skills concern essentially the areas of agrobiology, polymers and composite materials, metallurgy, microelectronics, automatism, computer-assisted design and manufacture, and the measurement and control of quality.

A special plan of action is devoted to design, in collaboration with others. The role of the Regional Institute of Design is to promote the conception and design of industrial products as well as new techniques of communication. The objective in making firms aware of these is to enable them to put on the market products that correspond to needs, and are reliable and attractive.

Auvergne - a region which does not overwhelm the individual - encourages personal fulfillment and the development of companies. Its international influence is growing stronger. Besides the agreements reached directly with firms and research and training centers, Auvergne has exchanges with other regions of the world - Hesse (West Germany), and Shansi (China). Furthermore, the region is developing other exchange possibilities (with the United States, and Canada), and is setting up procedures to enable its firms to improve exportation by taking advantage, for example, of the services of export executives on a part-time basis through "Volunteers for National Service in Firms", based in Italy and West Germany.

Auvergne is a region at the forefront, in the heart of Europe.

Les entreprises d'Auvergne accroissent leur notoriété en participant à des salons internationaux
Die Firmen der Auvergne gewinnen durch Teilnahme an internationalen Messen und Fachausstellungen zunehmend an Ruf
The reputations of firms in Auvergne are growing with their participation in international exhibitions.

Chapitre IV :

Le Volcanisme

Le volcanisme auvergnat fut ignoré jusqu'à une époque très récente. On avait bien remarqué ces montagnes composées de cendres noires ou rouges, ces sommets en forme d'entonnoir ; mais on expliquait cela en disant que ce n'étaient rien d'autre que des mâchefers provenant d'anciennes forges. Le peuple les appelait ''les montagnes brûlées''. Ce n'est qu'en 1751 que le naturaliste Jean-Etienne Guettard, ayant précédemment examiné le Vésuve et le Stromboli, découvrit la nature de ces matériaux et leur donna le nom de volcans. Et même, avant Haroun Tazieff, il ne craignit pas de prophétiser leur possible réveil.

Dès lors, de nombreux savants les étudièrent, s'efforçant de préciser leur nature et leur âge. Montlosier publia en 1789 une Théorie des Volcans d'Auvergne.

On sait tout d'eux désormais. Ou presque. Comme les églises auvergnates, ils peuvent être groupés en plusieurs styles.

Le style massif : à l'ère tertiaire, par les failles d'effondrement, le magma intérieur surcompressé jaillit comme la pâte d'un tube de dentifrice et s'étala sur le socle ancien, y construisant les énormes pièces montées du Cantal et des Monts Dore. Par la suite, les glaciers démantelèrent ces ensembles, ne laissant subsister que les parties les plus dures, creusant des vallées en U, rayonnantes autour du puy Mary.

Le style tabulaire : certaines coulées s'étendirent sur de vastes surfaces, épaisses de plusieurs dizaines de mètres, formant les planèzes de l'Aubrac, de Saint-Flour, de Salers, du Limon, du Cézallier, le plateau du Devès que couronnent les massifs du Meygal et du Mézenc. La bordure de ces nappes, brusquement refroidie, a souvent produit de magnifiques orgues basaltiques (à Bort-les-Orgues, à Murat, à Saint-Flour, à Espaly...) dont les tuyaux pentagones ou hexagones ont fait le bonheur des maçons, des couvreurs, des paveurs, des sculpteurs.

Vulkanismus

Der auvergnatische Vulkanismus blieb bis in die jüngste Vergangenheit relativ unbeachtet. Man hatte wohl von diesen Bergen aus schwarzer und roter Asche sowie den trichterförmig geöffneten Kuppen Kenntnis genommen, erklärte ihre Existenz jedoch lediglich durch Aufschüttungen von Schlacken aus alten Eisenhütten. Im Volksmund waren es die ''Abgebrannten Berge''. Erst 1751 erkannte der Naturforscher Jean-Etienne Guettard, nachdem er zuvor den Vesuv und Stromboli erforscht hatte, die wahre Herkunft dieses Materials und bezeichnete die Berge als Vulkane. Erst der Vulkanologe Haroun Tazief hat die ''Mär'' von möglichen Vulkanausbrüchen in der Auvergne beseitigt.

Zahlreiche Wissenschaftler bemühten sich, diese Vulkane zu erforschen und sie zu datieren. 1789 veröffentliche Montlosier eine Theorie über die Vulkane der Auvergne.

Heute verfügt man über ein aufschlußreiches Wissen auf diesem Gebiet. Die Vulkane der Auvergne können -gleich wie die Baustile ihrer Kirchen- in mehrere Typen unterteilt werden :

Der massive Typus : Im Tertiär steigen unter hohem Druck Magmamassen durch Bruchspalten auf und erstarren kegelförmig auf dem alten Gesteinssockel. Auf diese Art sind der Cantal und die Monts Dore entstanden. In der Folgezeit tragen mächtige Gletschermassen weiche Gesteine ab und höhlen U-förmige Täler aus, wie beispielsweise rund um den Puy Mary.

Der tafelförmige Typus : Die austretende Magma verteilt sich weitflächig aus und bildet über zehn Meter dicke Ergußgesteinsschichten. Zu diesem Typ gehören die Basalthochflächen von Aubrac, St. Flour, Salers, Lomon und im Cézallier sowie die Hochebene von Devès, die von den Massiven von Meygal und Mézenc überragt wird. Am Rande dieser schnell erstarrten Lavadecken haben sich oft eindrucksvolle Basaltorgeln gebildet, wie z.B. in Bort-les-Orgues, Murat, Saint-Flour und Espaly. An diesen fünf- oder sechseckigen Basaltlavasäulen erfreuten sich ganze Generationen von Handwerkern : Maurer, Dachdecker, Pflasterer und Bildhauer.

Volcanism

Nothing was known about Auvergnat volcanism until very recently. People had indeed noticed the mountains composed of black or red ash, and their summits shaped like funnels ; but the explanation given for their existence was that they were nothing more than cinders left over from old forges. Everyone called them ''the burned mountains''. It was not until 1751 that the naturalist Jean-Etienne Guettard, who had previously examined Vesuvius and Stromboli, discovered the nature of the substances and gave them the name volcanoes. And even before Haroun Tazieff, he did not hesitate to prophesy possible new eruptions.

From then on, a number of scientists studied them, trying to determine their nature and their age. In 1789, Montlosier published a Theory of the Volcanoes of Auvergne.

We now know everything about them. Or almost everything. Like Auvergnat churches, they can be grouped according to several styles.

The massif style ; in the Tertiary Period, out of faults created by collapse burst tightly compressed inner magma, like toothpaste squeezed from a tube ; it spread over the old platform, building up the enormous tiered forms in the Cantal and the Monts Dore. Later, glaciers broke up these masses, leaving only the parts having the hardest consistency, cutting U-shaped valleys, radiating out from the Puy Mary.

The tabular style : some rivers of lava, twenty or thirty meters thick, spread out over extensive areas, forming the planèzes, the fertile basalt plateaux of Aubrac, Saint-Flour, Salers, Limon, Cézallier, and the plateau of Devès, dominated by the massifs of Meygal and Mézenc. The edge of these lava spreads, upon rapid cooling, often formed magnificent orgues, or basalt columns (at Bort-les-Orgues, Murat, Saint-Flour, and Espaly, for example), whose pentagonal or hexagonal ''pipes'' were the delight of masons, roofers, pavers, and sculptors.

Chaîne des Dômes (Puy-de-Dôme)
Bergketten der Dômes
Dômes mountain range

Fontaines Salées (Puy-de-Dôme)
Salzhaltige Quellen
Saltwater Springs

Polignac (Haute-Loire)
Polignac
Polignac

Le volcanisme

Le style longiligne : d'autres laves s'établirent dans des vallées qu'elles comblèrent ; mais par la suite, l'érosion emportant, selon son habitude, le tendre et laissant le dur, produisit une inversion des reliefs, les creux devenant éminences : ainsi le plateau de la Serre au sud de Clermont, les socles de Polignac, de Carlat...

Le style ponctuel : celui de la Chaîne des Puys, le plus récent, le mieux conservé dans sa fraîcheur originelle, avec les splendides cratères du Pariou, des puys de Côme, de Lassolas, de la Vache,...Ponctuels aussi, ces bouchons de laves dures restés dans la gorge de cratères disparus, comme les Roches Tuilière (ainsi nommée parce que les habitants de la région y ont longtemps pris de quoi couvrir leurs maisons) et Sanadoire (c'est-à-dire Sonore, parce qu'elle est faite de phonolithes qui chantent sous le marteau comme bronze, ou parce qu'un écho polisson y habite). Celui encore des dykes, éruptions limitées et pâteuses qui percèrent çà et là l'épaisseur des sédiments ; ainsi, au Puy-en-Velay surgirent le rocher Corneille et le rocher d'Espaly comme des molaires, et le rocher d'Aiguille comme une canine.

On a l'habitude de croire que les montagnes en dents de scie (Alpes, Pyrénées) sont géologiquement jeunes, tandis que les arrondies (Ardennes, Vosges) sont très anciennes. Mais, dans ce domaine comme en bien d'autres,l'Auvergne renverse les lieux communs. Chez elle, à cause de la sculpture des glaciers, les cimes aiguës des Monts Dore et du Cantal sont plus anciennes que les têtes rondes des puys. Quels âges ont donc ces différents systèmes ? Plusieurs millions d'années les styles longiligne, massif et tabulaire. Le style ponctuel des puys est au contraire d'une jeunesse surprenante. On a retrouvé sous certaines coulées des morceaux de bois calcinés qui, examinés selon le principe du carbone 14, ont révélé leur date de combustion advenue il y a quinze siècles.

Vulkanismus

Der liniare Typus. Bei diesem Typ fanden die Lavamassen ihren Weg durch die Täler und füllten diese schließlich aus. In der Folgezeit bewirkte die Erosion eine Art "Reliefinversion". Das "weichere" Gestein der ehemaligen Berge wurde abgetragen, die "härtere" Talauffüllung aus Lava blieb stehen. Zeugnisse diese geomorphologischen Prozesses sind das Plateau von Serre im Süden von Clermont sowie die "Sockel" von Polignac und Carlat.

Der punktuelle oder Puy-Typus : Er ist der erdgeschichtlich jüngste und folglich der besterhaltenste. Paradebeispiele sind die Krater der Puy-Kette, wie z.B. Pariou, Lassolas, La Vache und die Puy de Côme.

Ein andere Gattung dieses Typs sind die "Staukuppen" aus sehr hartem Gestein, das auf zähflüssige Lavamassen zurückgeht, die beim Vulkanausbruch im Schlot steckengeblieben sind und um die herum das relativ weiche Muttergestein abgetragen wurde.

Die Tuilière-Felsen (Tuilière = Dachziegel) tragen deshalb ihren Namen, weil die Anwohner das Gestein lange als Dachdeckmaterial benutzt haben. Auch der Name des Sanadoire (sonor = schallend) hat einen plausiblen Ursprung : Die Kuppe ist aus Phonolithgestein, das so klingt, als wenn man mit einem Hammer auf Bronze schlägt.

Die Dikes sind auch punktuelle Eruptionen, bei denen jedoch relativ wenig Ergußgesteinsmassen das Deckgebirge durchbrachen. Die markanten Felsen dieses Typs sehen oft wie Zähne aus. So z.B. die "Vulkankegel" in Le Puy en Velay.

Man nimmt allgemein an, das starkgezackte Bergketten (z.B. die Alpen oder Pyrenäen) geologisch jünger sind als abgerundete (z.B. die Ardennen oder Vogesen). Aber auch hierbei bestätigt in der Auvergne die "Ausnahme" einmal wieder die "Regel" : die abgerundeten Kuppen der Vulkane sind jünger als die scharf gegrateten Berge der Monts Dore und des Cantals, deren Physiognomie erst durch die Gletschertätigkeiten der letzten Eiszeiten gestaltet wurde.

Welches Alter haben eigentlich die verschiedenen Vulkantypen ?

Die drei erstgenannten sicherlich einige Millionen Jahre. Nur der Puy-Typus ist überraschend jung. Verkohlte Holzteile, die man unter Lavaschichten gefunden hat, ergaben nach der C-14-Methode (lediglich) ein Alter von 15000 Jahren.

Volcanism

The long-limbed style : other lava settled in valleys and filled them ; but afterwards, erosion swept away the soft substances, as it always does, leaving the hard substances. This produced an inversion of the relief - sunken areas became raised ; examples are the plateau of La Serre south of Clermont, and the platforms of Polignac and Carlat.

The punctual style : this is the style of the Puys mountain range- the most recent, whose original shape is the best preserved, with the splendid craters of Pariou, the Puys de Côme, Lassolas, La Vache. Other examples of this style - the masses of hard lava which stopped up former craters, as at Roche Tuilières ("Tiler Rock", so called because, for a long time, the inhabitants of the region used the material they found here for roof tiles) and Roche Sanadoire (meaning Resonant, because it is made of clinkstone which, like bronze, makes a ringing sound when struck by a hammer, or - because a little rascal of an echo lives there). This is the style, too, of the dykes - partial, pasty eruptions that pierced here and there through the thick layer of sediment, as at Puy-en-Velay the Corneille rock and the rock of Espaly cut their way like molars, and the rock of Aiguille, like a canine tooth.

We are used to thinking that jagged mountains (the Alps and the Pyrenees) are geologically young, while rounded ones (the Ardennes, and the Vosges) are very old. But, in this domain as in many others, Auvergne overturns the commonplace. Here, because of the sculpted forms of glaciers, the sharp summits of the Monts Dore and the Monts du Cantal are older than the rounded tops of the Puys. How old, then, are these different formations ? Several million years old - for the massif, tabular, and long-limbed styles. The punctual style of the Puys is, on the contrary, surprisingly young. The carbon-dating of pieces of calcined wood found beneath some lava-spreads has established that their combustion happened fifteen centuries ago.

Source de Chaudes Aigues (Cantal)
Quelle bei Chaudes Aigues
Chaudes Aigues spring

Fleur de Gentiane
Gelber Enzian
Gentian flower

Banne d'Ordanche (Puy-de-Dôme)
Banne d'Ordanche - (Das "Horn" von Ordanche)
La Banne (Auvergnat dialect for "horn") d'Ordanche

Le volcanisme

Le volcanisme ne s'est pas contenté d'édifier des montagnes, il a aussi, par ses débris qu'emportaient les vents, contribué à combler les anciens lacs qui ont donné les bassins du Puy, de l'Emblavès et les Limagnes. Riches ainsi d'une terre noire, véritable tchernozium auvergnat, qui explique leur fertilité. Pendant des siècles, les hommes ont cultivé ces terres sans leur apporter d'engrais. On veut mieux faire aujourd'hui, on corrige la nature, on épand des nitrates et des phosphates : les rendements sont prodigieux. Moissonnées à temps, ces pailles abondantes montent par convois, les années de sécheresse, nourrir les troupeaux des montagnes. Ainsi la Basse et la Haute Auvergne se complètent harmonieusement.

Le volcanisme est aussi le générateur des sources thermales auxquelles il confère des calories, des éléments minéraux, des propriétés radioactives. Les Gaulois déjà en exploitaient les vertus.

A ceux qui préfèrent les eaux froides, l'Auvergne offre mille sources non classées, ses cascades, ses étangs, ses rivières, ses lacs tout ronds, établis dans un cratère (Pavin, Tazenat, Bouchet, Servières, Montcineyre, Godivelle, Saint-Front...) ou derrière un barrage de laves (Aydat, Cassière, Guéry, Chambon...).

Ces dons de la providence et tout ce qui en dérive sont menacés : par les destructions naturelles, par les prédateurs humains, par les pollutions. Afin de les protéger au mieux, a été institué le Parc Naturel Régional des Volcans. Son but : préserver la nature et ses sites pour que le plus grand nombre possible de personnes en puisse jouir. Contre les hommes de mauvaise volonté, il ne dispose d'aucun moyen de coercition, d'aucun garde assermenté. Sa force est purement persuasive, éducatrice. Il favorise le tourisme, combat les tas d'ordures, améliore les routes, balise les sentiers, enseigne aux citadins les bons usages de la campagne. Ses bureaux sont installés à Randanne dans l'ancien château de Montlosier, qui travailla tant de son vivant à faire connaître et aimer les volcans d'Auvergne.

Vulkanismus

Wom Wind transportierte vulkanische Aschen füllten Altseen auf, die heute die fruchtbaren Schwarzerdebecken der Auvergne bilden, wie das bei Le Puy, Emblaves sowie die Limagne. Diese reiche schwarze Erde, wahres Tschernoseum der Auvergne, ist sehr fruchtbar. Jahrhundertelang haben die Menschen diese Erde ohne Düngermittel bebaut.

Heutzutage macht man natürlich alles besser. Man hilft der Natur sozusagen mit Nitraten und Phosphaten nach : die Ernte ist unübertrefflich. Doch sehen wir auch die andere Seite : In Dürrejahren erlaubt die frühe Getreideernte in den Niederungen der Auvergne Unmengen von Stroh auf die Bergweiden der Hochlagen zu transportieren. Ein harmonischer Ausgleich.

Der Vulkanismus hat auch die Thermalquellen mit ihren nutzbaren Eigenschaften hervorgebracht, wie die natürlichen Wärmekalorien, lebensnotwendige Mineralien und die natürliche Radioaktivität. Schon die Gallier wußten diese Gaben der Natur zu schätzen.

Wer eher dem "kalten" Wasser zugeneigt ist, kommt auch in der Auvergne auf seine Kosten. Hier befinden sich tausende von Quellen, unzählige Wasserfälle, Wildbäche, Weiher und kreisrunde Kraterseen (z.B. Pavin, Tazenat, Bouchet, Servières, Montcineyre, Godivelle, Saint-Front,...) oder andere, die sich wie eine Art Stausee hinter einem natürlichen Damm aus Lavagestein gebildet haben (Aydat, Cassière, Guéry, Chambon...).

Naturereignisse, unüberlegtes menschliches Handeln und Umwelteinflüsse bedrohen dieses gottgesegnete Land. Um seinen zu schützen und zu bewahren, wurde der Regionale Naturpark der Vulkane ins Leben gerufen. Er wird nicht öffentlich bewacht, vielmehr appeliert man an die Selbstverantwortung und hofft auf die erzieherische Wirkung der Einrichtung. Die Parkverwaltung fördert den Tourismus, beseitigt wilde Müllkippen, verbessert das Wegenetz, zeichnet Wanderwege aus und sensibilisiert die Städter für eine ausgewogene Nutzung des ländlichen Raumes. Administrativer Sitz des Naturparks ist das Schloß von Montlosier in Randanne. Montlosier hat sich zu Lebzeiten sehr stark dafür eingesetzt, die Vulkane der Auvergne bekannt zu machen und zu lieben.

Volcanism

Volcanism did not stop with the making of mountains ; volcanic debris carried by the winds also filled in former lakes which resulted in the basins of Le Puy, l'Emblavès and the Limagnes. These are covered with rich black soil, virtually an Auvergnat chernozem, which accounts for their fertileness. For centuries, these lands have been cultivated without the use of fertilizers. Today efforts are made to do even better, to improve nature, by spreading nitrates and phosphates - the yields are prodigious. Harvested at the right moment, this plentiful straw is shipped off ; when droughts occur, it serves as fodder for mountain herds. In this way, Basse Auvergne and Haute Auvergne complement each other in balanced harmony.

Volcanism is also the generator of thermal springs, supplying them with calories, mineral elements, and radioactive properties. Their virtues had already been exploited by the Gauls.

To those who prefer cold waters, Auvergne offers a thousand sources which have not been specifically categorized - cascades, ponds, rivers, lakes completely round in shape, filling a crater (Pavin, Tazenat, Bouchet, Servières, Montcineyre, Godivelle, Saint-Front and others) or behind a lava dam (Aydat, Cassière, Guéry, Chambon and others).

These gifts of Providence and all that stems from them are threatened - by natural destruction ; by man, the predator ; and by pollution. In order to protect nature better, the Regional Nature Park of Volcanoes was created. Its objective : to preserve nature and natural sites so that the greatest possible number of people can enjoy these. Confronted with the ill will of man, the institution has no instruments of coercion, no one to stand guard. Its force is purely persuasive, instructive. It promotes tourism, fights against piles of garbage, improves roads, clears paths, and instructs visitors in the proper use of the countryside. The offices of the institution are located at Randanne in the château which belonged to Montlosier who worked devotedly during his lifetime in order that others might come to know and to love the volcanoes of Auvergne.

Vallée de Chaudefour (Puy-de-Dôme)
Chaudefour-Tal
The Valley of Chaudefour

Chapitre V :

Le Tourisme

Les invitations de l'Auvergne

L'Auvergne est une invitation permanente au tourisme. Elle invite aux longues promenades dans le Parc Naturel des Volcans, le plus vaste de France, et le Parc Naturel du Livradois-Forez.

L'hiver venu, elle invite sur ses pistes blanches et ses sentiers. Elle invite le pêcheur à venir ferrer le saumon ou la truite arc-en-ciel, les passionnés de sports aériens à ouvrir leurs ailes au-dessus des nids de volcans, les curistes dans ses stations thermales, les gastronomes à ses tables, les mélomanes à ses concerts et à ses festivals, les amateurs d'art à ses expositions. Elle est riche de toutes les curiosités et de tous les plaisirs.

A pied ou à cheval, il faut la parcourir pour la comprendre et l'aimer. Le curieux amateur descendra ses eaux vives en canoë ou laissera les brises légères qui plissent les lacs incliner sa voile. Il lancera l'hameçon dans l'impétuosité bondissante des torrents, flânera dans les rues colorées et animées des villes avant de s'asseoir devant un coq au vin ou un gigot brayaude. Il se mêlera aux milliers de mélomanes qui emplissent la basilique de La Chaise-Dieu au temps du festival pour entendre les plus grands orchestres, les plus belles voix du monde. "La mer exceptée, expliquait ce vieil Auvergnat, notre région offre un échantillon de tout ce qu'on peut trouver à la surface de la terre. Des plaines à blé comme en Ukraine. Des chapelets de lacs comme en Finlande. Des fjords comme en Norvège. D'épaisses forêts comme en Amazonie. Des landes à bruyères comme en Ecosse. Des rivières à saumons comme en Irlande. Des volcans comme en Sicile. Des artisans aussi habiles que les Suisses. Une cuisine aussi savoureuse que l'espagnole ou l'italienne. Et même, en cherchant bien - mais ce sera difficile à trouver et il faudra que la chance vous favorise - il vous arrivera d'entrer dans quelque auberge citadine et d'y manger aussi mal qu'en Angleterre".

Tourismus

Die Auvergne lädt ein

Die Auvergne ist eine "ganzjährig geöffnete" Freizeitlandschaft. Sie lädt zu ausgedehnten Wanderungen in ihren beiden Naturparks ein : in den Park Livradois Forez und den der Vulkane, dem größten Frankreichs.

Im Winter locken die Pisten und Loipen. Der Angler findet hier noch Lachse und Regenbogenforellen. Drachenflieger können die einzigartige Vulkanlandschaft aus der Vogelperspektive überschauen. Thermalkurorte bieten ein erholsamen Kuraufenthalt an. Auch Feinschmecker kommen auf ihre Kosten. Musikliebhaber haben ausreichende Gelegenheiten, Konzerte zu besuchen ; auf den Kunstfreund warten vielerlei Ausstellungenkurz : die Auvergne ist reich an Sehenswürdigkeiten und hat ein großes Freizeitangebot.

Man muß die Auvergne hautnah durchstreifen, zu Fuß oder zu Pferde, bevor man sie zu schätzen und lieben weiß. Abenteurer und Kenner nehmen das Kanu und machen eine Wildwasserabfahrt oder lassen auf einem der Seen den Wind mit dem Segel spielen. Andere werfen den Angelhaken in einen sprudelnden Sturzbach. Auch ein Stadtbummel in den bunten und belebten Straßen der Städte wäre angebracht, bevor man sich von einem "Hahn in Rotweinsoße" oder einem Stück "Hammelbraten à la Brayaude" verführen läßt. Oder man mischt sich unter die Zuschauermenge der Musikliebhaber in der Basilika von La Chaise-Dieu. Zur Festspielzeit hört man dort die größten Orchester und die schönsten Stimmen der Welt.

Ein alter Auvergnat erklärte einmal, daß man von Meer abgesehen, in der Auvergne alle Landschaften der Erde wiederfindet : Weizenebenen wie in der Ukraine, Seenplatten wie in Finnland, Fjörde wie in Norwegen, dichte undurchdringbare Wälder wie am Amazonas, Heidelandschaften wie in Schottland, Lachsgewässer wie in Irland, Vulkane wie in Sizilien, ein ehrbares Handwerk wie in der Schweiz und eine schmackhafte Küche wie in Spanien oder Italien. Wenn man jedoch sehr lange sucht und mit etwas Glück, kann man in irgendeinem Gasthaus in der Stadt "Pech haben" und so schlecht wie in England essen.

Tourism

The invitations of Auvergne

Auvergne offers the tourist a standing invitation. An invitation to take long walks in the Nature Park of Volcanoes, the most extensive in France, and in the Nature Park of Livradois-Forez.

When winter comes, Auvergne invites you onto white slopes and paths ; the fisherman is invited to come and strike salmon or rainbow trout ; lovers of air sports are invited to spread their wings above the volcano nests ; those wishing to benefit from mineral springs, are invited to the thermal spas ; gourmets, to the tables of fine dining ; music lovers, to the concerts and festivals ; and art lovers, to the exhibitions. Auvergne is a wealth of sights and joys of all descriptions.

On foot or on horseback - Auvergne must be traveled through in order to be understood and loved. Anyone who is curious, and enthusiastic, will canoe down the rushing waters or let the soft breezes which ripple the lakes tilt his sail. Or will cast a fishing line into the leaps and bounds of raging streams ; or stroll along the lively colorful city streets before sitting down to a dish of coq au vin or gigot brayaude. He will mingle with the thousands of music lovers who fill the basilica of La Chaise-Dieu at festival times to hear the greatest orchestras, the most beautiful voices in the world.

Except for the sea, explained one old Auvergnat, our region offers a sample of everything to be found on the face of the earth. Wheatfields as in the Ukraine. Strings of lakes as in Finland. Fiords as in Norway. Deep forests as in the Amazon. Heather-covered moors as in Scotland. Rivers abounding with salmon as in Ireland. Volcanoes as in Sicily. Artisans as skillful as the Swiss. Regional cuisine as appetizing as that in Spain or Italy. And even, if you look very hard for it - though it will be hard to find ; you will need a bit of luck - you will come to some city inn where you will eat as badly as in England.

Vichy, ville d'eau (Allier)
Kurstadt Vichy
Vichy, spa town

Le Tourisme

Le curieux amateur, qu'il vienne de France ou d'ailleurs, peut donc se lancer sans crainte à la découverte de l'Auvergne.

A pied...

Les marcheurs trouvent ici un paradis d'espaces et d'horizons. Selon l'itinéraire choisi, on chemine dans des paysages apaisés ou bouleversés. Dix mille kilomètres de sentiers balisés permettent l'approche du Plomb du Cantal, du Massif du Sancy ou de la chaîne des Dômes. Des gîtes-étapes largement implantés accueillent, au soir, les randonneurs.

Les marcheurs qui préfèrent un terrain parsemé de trous numérotés, trouveront huit golfs parfaitement équipés, dans des cadres magnifiques.

A cheval...

Célèbres sont les grandes manifestations hippiques d'Aurillac et de Vichy où, sur les bords de l'Allier, des réunions font régulièrement briller les plus grandes casaques. A côté de ces compétitions, le sport équestre et les promenades se sont développés en Haute comme en Basse Auvergne. Clubs et centres se comptent par dizaines. Ils sont tous fort bien équipés. Des accompagnateurs vous guident à travers le Bourbonnais, les Pays du Velay ou les Parcs Naturels.

A ski...

C'est au début du siècle qu'un prêtre astucieux, l'Abbé Blot, chaussa des "lattes" pour rendre visite, les jours de neige épaisse, à ses ouailles. Ce défricheur fit école et des paroissiens s'équipèrent également de planches à glisser. Puis, le simple déplacement devint activité de loisir. Dès les années 1920, on commença à parler de stations de sports d'hiver sur les flancs du Sancy ou du Plomb du Cantal.

Aujourd'hui, l'Auvergne a su tirer le meilleur parti de son enneigement et propose trois stations dotées d'équipements dignes des Alpes : Le Mont-Dore, Super-Besse et Super-Lioran. Ensemble, elles offrent plusieurs dizaines de pistes bien exposées et aux difficultés variées.

Tourismus

Der Feriengast, gleich ob er aus Frankreich oder aus dem Ausland kommt, kann ohne Bedenken eine Entdeckungsreise durch die Auvergne unternehmen.

Zu Fuß...

Der Wanderer findet hier ein wahrhaftes Paradies mit ungewohnten Raumerlebnissen vor. Je nach Route, durchwandert er beschauliche oder sehr wilde Landschaften. Zehntausende Kilometer markierte Wanderwege führen zum Plom du Cantal, zum Massiv du Sancy oder über die Bergketten der Dômes. Überall laden Herbergen zum Übernachten ein.

Gäste, die sich lieber zwischen "nummerierten Löchern" bewegen, haben die Wahl zwischen acht gut ausgestatteten Golfplätzen in einer herrlichen Landschaft.

Zu Pferd...

In Aurillac und Vichy am Ufer des Allier finden regelmäßig große Reitturniere statt. Außer diesen großen Sportveranstaltungen gibt es in der Haute-und Basse-Auvergne viele Reiterclubs, die den Feriengästen begleitete Ausritte anbieten. Die Reitervereine und -zentren verfügen über gutes Pferdematerial und ausgebildetes Personal, das Sie auf den Ausritten im Bourbonnais, im Velay oder in den Naturparks begleitet.

Auf Skiern...

Am Anfang des Jahrhunderts schnallte zum ersten Mal ein verwegener Pfarrer, Abbé Blot, seine Bretter an, um im tief verschneiten Winter seine "Schäfchen" in den entlegenen Dörfern aufzusuchen. Seine Pfarrkinder ahmten es ihm nach : Aus einer erfinderischen Notwendigkeit wurde ein Sport. Seit den Zwanziger Jahren machten dann schon Wintersportorte an den Hängen des Sancy und Plomb du Cantal von sich reden.

Die Auvergne hat ihre günstigen Schneeverhältnisse ausgenutzt und drei '"alpine" Wintersportzentren mit zahlreichen Abfahrtspisten verschiedener Schwierigkeitsstufen geschaffen : Le Mont-Dore, Super-Besse und Super-Lioran.

Tourism

The curious enthusiast, whether he comes from France or elsewhere, can throw himself without reserve into the discovery of Auvergne.

On foot...

Hikers will find here a paradise of open spaces and horizons. Depending on the chosen itinerary, they will follow paths through either calm or rugged countryside. Ten thousand kilometers of marked trails lead up to the Plomb du Cantal, the Massif du Sancy or the range of the Dômes. Plenty of stopover-shelters are available to welcome hikers in the evenings.

Those who prefer terrains dotted with numbered holes, will find eight well-equipped golf courses in magnificent settings.

On horseback...

Famous are the great horse shows of Aurillac and Vichy where, along the banks of the Allier, regularly-held events give the greatest jockeys a chance to shine. Along with these competitions, equestrian sports and horse riding have developed in both Haute and Basse-Auvergne. Clubs and centers number more than twenty. All are very well-equipped. The guides lead you through the Bourbonnais region, the Velay Country, or the Nature Parks.

Skiing...

It was at the beginning of this century that a very clever priest, Abbot Blot, attached "laths" to his shoes, so that he could visit his flock in times of heavy snow. This pioneer's idea caught on and his parishioners also fashioned for themselves some wooden strips for sliding. Then, any errand to be run became recreational. From the 1920's, winter sports resorts on the hillsides of the Sancy peak or the Plomb du Cantal began to be the talk of the town.

Today, Auvergne has certainly used its snowfalls to best advantage and offers three resorts - the Mont-Dore, Super-Besse, and Super-Lioran - with facilities to rival those in the Alps. Together they offer between twenty and thirty well-positioned slopes with varying degrees of difficulty.

Ski de randonnée (Cantal)
Skiwandern
Cross-country skiing

Le Tourisme

Des accès aisés, des équipements techniques complets, de bonnes capacités d'hébergement font de ces stations des hauts lieux de ski de descente. Mais l'Auvergne est également le royaume du ski de fond. Près de mille kilomètres de pistes ont été tracés. Des centres-écoles fonctionnent et proposent les services d'animateurs, d'initiateurs ou de guides de randonnées. Un réseau dense de foyers d'accueil s'est tissé sur un domaine skiable d'un million d'hectares. L'Auvergne vue du ciel...

Issoire est un centre international de vol à voile. On y vient de l'Europe entière pour pratiquer le vol d'ondes. Ce dernier permet, grâce à certains courants ascendants, d'atteindre, en planeur, des altitudes très élevées.

Du Puy de Dôme, du Puy Saint-Romain et de bien d'autres s'élancent les adeptes de l'aile-delta et du parapente. On peut les pratiquer, paraît-il, de sept à quatre-vingt-dix-sept ans.

A ceux qui préfèrent la plongée sous-marine, le lac Pavin s'offre à eux avec ses 80 m de profondeur. Sur d'autres eaux, on navigue en canoë, kayak ou raft : l'Allier, la Sioule, la Dore offrent des descentes émotionnelles.

Tourismus

Der Ruf dieser Wintersportstationen beruht auf der hervorragenden Infrastruktur : leicht befahrbare Anfahrtswege, umfangreiche technische Anlagen sowie ein gut ausgebautes Beherbergungssystem. Die Auvergne ist auch ein Paradies für den Skilanglauf. Fast 1000 Kilometer Loipen wurden angelegt. Ski-Schulen bieten ein abwechslungsreiches Freizeit-, Kurs- und Ski-Wander-Programm an. In diesem ein Millionen Hektar großen Skigebiet stehen dem Wintersportler ein dichtes Netz von Ski-Hütten zu Verfügung.

Die Auvergne "von oben" gesehen...

Issoire ist ein internationales Segelflugzentrum.

Flieger aus ganz Europa treffen sich hier, um den "Wellenflug" zu betreiben. Aufgrund einer besonderen Thermik werden in der Gegend von Issoire extreme Flughöhen erreicht.

Drachenflieger und Paragleiter starten vom Puy-de-Dôme, dem Puy Saint-Romain oder anderen Punkten... ein einzigartiges Erlebnis, für das man nie zu jung oder zu alt sein kann.

Tiefseetaucher kommen im 80 Meter tiefen Lac Pavin auf ihre Kosten. Der Allier, die Sioule und die Dore laden zu einer aufregenden Abfahrt mit Kanu, Kajak oder Schlauchboot ein.

Tourism

Because they are easily accessible, have a complete range of technical equipment, and have adequate lodging facilities, these resorts are choice spots for downhill skiing. But Auvergne is also the kingdom of cross-country skiing as it has nearly a thousand kilometers of marked trails. There are instruction centers which offer the services of instructors, initiators or guides. A compact network of refuges is woven through a 1 million-hectare (about 2.5 million acres) area. Auvergne seen from the sky...

Issoire is an international center for gliding. People come here from all over Europe to go air current flying. Because of certain rising currents, it is possible to attain very high altitudes in a glider.

From the Puy-de-Dôme, or Puy Saint-Romain, or from many other points, the adept at hand-gliding and parawinging can take off. Apparently, these sports are for everyone from seven to ninety-seven years old.

For those who prefer underwater diving, Lake Pavin, for example, with its depth of 80 meters, offers this possibility. Canoeing, kayaking, and rafting are offered upon other waters - the Allier, the Sioule, and the Dore - for thrilling downstream adventures.

Golf d'Orcines (Puy-de-Dôme)
Golfplatz in Orcines
Orcines Golf Course

Rafting
Rafting
Rafting

Le Tourisme

La pêche...
L'eau, c'est aussi la pêche. Depuis toujours, elle a été un des attraits de l'Auvergne. Ne serait-ce que par la présence du saumon, ce poisson nomade qui fascine par ses exploits sportifs et ses mystérieux instincts de grand voyageur. Il a des noblesses dans ses élans et des secrets dans ses itinéraires. Sa vie est saga. Il peut dépasser un mètre et peser plus de dix kilos lorsqu'il quitte les eaux marines pour s'engager dans la Loire, puis dans l'Allier. Un instinct plus fort que les courants le pousse à remonter vers les eaux rapides de la Haute-Loire où il a passé ses premières années. C'est là que, comme ses parents, il déposera ses oeufs en fin d'automne. Le plus souvent, il mourra peu après, épuisé par une année de voyage et de jeûne. Ses descendants, appelés tacons, atteindront, en un an ou deux, une taille de quinze à vingt centimètres. Ils dévaleront alors, en bancs, jusqu'à l'estuaire de la Loire avant de gagner la haute mer. Ils y consommeront petits poissons et crevettes, gagnant ainsi plusieurs kilos par an.
Après quelques années d'errance maritime, ils retourneront à leur fleuve de naissance et cesseront totalement de s'alimenter dès qu'ils entreront en eau douce. Le saumon se guide en rivière grâce à un odorat et une mémoire olfactive très développés. En mer, il s'oriente en grand navigateur d'après les astres et le champ magnétique terrestre. Pour comprendre cette destinée, une visite s'impose à la Maison du Saumon de Brioude. C'est un véritable musée vivant de la rivière où l'on suit le poisson à la trace. Par ailleurs, dans de grands aquariums reconstituant le milieu naturel, on découvre la truite aux aguets, le goujon paresseux, l'ombre chevalier, les bancs d'ablettes, "ma commère la carpe avec le brochet son compère"... Bref, tous les poissons qui peuplent les lacs et les rivières.

Tourismus

Angelsport...
Wasser, das heißt auch Fischreichtum. Besonders die Lachsvorkommen mögen den passionierten Angler anziehen. Dieser edle Wanderfisch fasziniert durch seine akrobatischen Leistungen auf seinem geheimnisvollen "Lebensweg", der einer Sage gleicht. Wenn die Lachse das Meer verlassen, die Loire und den Allier hochsteigen, können sie bis zu einem Meter lang sein und über zehn Kilogramm wiegen. Ihr instinkthafter Wandertrieb ist stärker als die Strömung und treibt sie zu den Wildbächen im Departement der Haute-Loire, wo sie ihre Kindheit verbracht haben. Wie die Eltern werden sie dort zu Ende des Herbstes laichen. Häufig verenden sie auch dort, weil sie die einjährige Wander-und Fastenzeit zu sehr geschwächt haben. Die Sälmlinge erreichen in ein oder zwei Jahren eine Länge von fünfzehn bis zwanzig Zentimeter. In dichten Scharen erreichen sie durch die Loiremündung die Hohe See, ernähren sich von kleinen Fischen und Krabben und nehmen mehrere Kilo pro Jahr zu.
Nach einigen Jahren im Meer, kehren sie wieder in den selben Fluß zurück, in dem sie geboren wurden. Sobald sie im Süßwasser sind, ernähren sich die Lachse nicht mehr. Sie haben einen sehr stark entwickelten Geruchssinn und ein gutes Orientierungsvermögen. Im Meer richten sie sich nach den Sternen und Magnetfeldern der Erde.
Um das geheimnisvolle Leben der Lachse nachzuvollziehen, zahlt es sich aus, das "Haus des Lachses" in Brioude zu besichtigen. Es ist ein anschauliches und lebendiges "Flußmuseum", in dem man die hiesigen Fischarten unter den natürlichen Bedingungen sehen kann : die Forelle, die auf der Lauer liegt, der faule Gründling, der Seesaibling, Weißfische, Karpfen und Hechte-Kurz, alle Fische, die die Seen und Flüsse unserer Region bevölkern.

Tourism

Fishing...
Water also means fishing. This has always been one of Auvergne's attractions if only because of the region's salmon - that nomadic fish that astounds us with its athletic feats and its mysterious instinct to travel far. There is nobleness in its jumps and secrecy in its itineraries. The salmon's life is a saga. It may be more than a meter long and weigh more than ten kilos when it leaves sea waters to go into the Loire, and on to the Allier. An instinct stronger than the currents pushes the fish to go upstream towards the swift-flowing waters of the Haute-Loire where it spent its first years. It is here that, like its parents, the salmon will spawn in late fall. Usually, it will die shortly thereafter, worn out by a year of travelling and fasting. Its young, called smolts, will reach in one or two years lengths of from fifteen to twenty centimeters. They will then rush downstream, in shoals, to the estuary of the Loire before reaching the open sea. Here they will consume small fish and shrimp, thereby gaining several kilos per year.
After a few years of maritime wandering, they will return to the river of their birth and will stop nourishing themselves completely as soon as they have reached fresh water. The salmon finds its way in rivers thanks to its highly - developed sense of smell and olfactory memory. At sea, it orients itself like the great navigators, by the stars and the earth's magnetic field.
To understand this destiny, a visit to the House of the Salmon at Brioude is a must. This is virtually a living museum of the river where every move of the fish can be followed. And then, in large aquariums where the natural habitat has been recreated - the watchful trout, the lazy gudgeon, the char fish, the shoals of bleaks, the carp, the pike... In short, all the fish that inhabit lakes and rivers.

Le saumon
Lachs
Salmon

Le Tourisme

Le Thermalisme...
L'Auvergne est la première région thermale de France.
Chaque année, ses dix stations accueillent plus de cent mille curistes et font de l'Auvergne, un des pôles européens de la santé : Le Mont-Dore, Saint-Nectaire, Châteauneuf-les-Bains, Châtel-Guyon, La Bourboule, Royat, Chaudes-Aigues, Néris-les-Bains, Bourbon-l'Archambault, Vichy. Voilà qui forme un ensemble unique : rhumatologie, maladies métaboliques, neurologie, voies respiratoires, dermatologie, gastro-entérologie, etc...
Vichy a tous les charmes de la ville d'eau avec ses parcs, son casino, ses hôtels, son hippodrome, ses spectacles, ses boutiques. C'est aussi une station sportive avec un centre omnisports, l'Institut Hydrothérapique Louison Bobet et une base de loisirs et de détente unique en Europe.
La Culture...
Les amateurs de musique populaire et régionaliste pourront se satisfaire en Auvergne où de nombreux groupes folkloriques maintiennent les traditions.
"Les Chants de l'Auvergne, écrit un spécialiste, Joseph Canteloube, constituent sans doute le folklore musical le plus vaste et le plus varié qu'il y ait en France". La vielle est enseignée au Conservatoire de Musique de Clermont-Ferrand et la cabrette à Aurillac.

Tourismus

Die Auvergne ist die Thermalregion Frankreichs.
Mit ihren zehn Kurorten, die jährlich über 100.000 Erholungssuchende empfangen, ist sie eine Art "europäisches Gesundheitszentrum". In den Städten Le Mont-Dore, Saint-Nectaire, Châteauneuf les-Bains, Châtel-Guyon, La Bourboule, Royat, Chaudes-Aigues, Néris-les-Bains, Bourbon-l'Archambault und Vichy, werden folgende Krankheiten behandelt : Rheumakrankheiten, Stoffwechselkrankheiten, Nervenkrankheiten, Atembeschwerden, Hautkrankheiten, Magen- und Darmleiden, usw...
Vichy besitzt den wahrhaften Charme einer großen Badestadt, hervorgerufen durch seine gepflegten Parkanlagen, Spielkasino, Nobelhotels, Pferderennbahn, Kurveranstaltungen und viele Boutiken.
Vichy zeigt sich auch von seiner sportlichen Seite. Hier befinden sich ein großer Allzweck-Sportkomplex, das Institut Louison Bobet für Wassertherapie sowie ein in Europa einmaliger Freizeit-und Erholungspark seiner Art.
Kultur...
Liebhaber der regionalen Volksmusik finden in der Auvergne ein reiches Angebot, denn noch allerorts pflegen Folkloregruppen das heimatliche Brauchtum.
Das Lied und der Gesang in der Auvergne, so schreibt der Fachmann Joseph Canteloube, haben bestimmt das abwechslungsreichste Repertoire der Volksmusik in ganz Frankreich. Alte Instrumente, wie die Drehleiher, werden am Konservatorium in Clermont-Ferrand unterrichtet, eine regionale Ausführung des Dudelsacks in Aurillac.

Tourism

Thermal spas...
Auvergne is the leading region in France with respect to thermal resorts.
Each year, the region's ten resorts welcome more than one hundred thousand curistes - as visitors coming to take the waters are called - and have made Auvergne one of the European focal points for health. The Mont-Dore, Saint-Nectaire, Châteauneuf-les-Bains, Châtel-Guyon, La Bourboule, Royat, Chaudes-Aigues, Néris-les-Bains, Bourbon-l'Archambault, Vichy - all of these form a single set - rheumatology, metabolic disorders, neurology, respiratory track diseases, dermatology, gastroenterology, etc...
Vichy has all the charms of a spa town, with parks, a casino, hotels, a race track, entertainment, and boutiques. It is also known for sports, and has an omnisports center, the Louison Bobet Hydrotherapeutic Institute, and a recreation and relaxation base which is unique in Europe.
Cultural activities...
Lovers of regionalistic and popular music will find what they are looking for in Auvergne where numerous folkloric groups are keeping traditions alive.
"Les Chants de l'Auvergne", specialist Joseph Canteloube has written, "no doubt constitute the most extensive and most varied musical folklore that there is in France". The hurdy-gurdy is taught at the Conservatory of Music of Clermont-Ferrand and the cabrette (a type of bagpipe), at Aurillac.

Les courses - Vichy (Allier)
Pferderennen
Horse-racing

Parapente
Fallschirmgleiten
Parawinging

Le Tourisme

A l'étage supérieur, au pays d'Emmanuel Chabrier, la grande musique brille de tout son éclat. L'Orchestre d'Auvergne, créé en 1981, réunit autour de Jean-Jacques Kantorow vingt musiciens du plus haut niveau international. Il a déjà donné plus de six cents concerts en France, dans toute l'Europe, aux Etats-Unis et au Japon.

Ecouter l'Auvergne, c'est aussi assister aux inoubliables soirées du "Festival de la Chaise-Dieu", aux "Nuits Musicales" en Bourbonnais, au "Festival d'Opéra" de Vichy, aux "Concerts de Vollore et d'Aulteribe".

La région est riche d'une infinité de manifestations culturelles comme "La Fête du Roi de l'Oiseau" au Puy-en-Velay, le "Festival du Théâtre de Rue" à Aurillac, le "Festival du Court-Métrage" à Clermont-Ferrand.

Dans ce champ, l'action du Conseil Régional a pris trois grandes orientations : l'aide aux artistes et aux créateurs, la mise en valeur du patrimoine et son ouverture au public, le développement de la vie associative.

L'art contemporain n'est pas oublié. Le Fonds Régional d'Art Contemporain (FRAC) réunit aujourd'hui plus de 80 oeuvres d'artistes mondialement reconnus ou de jeunes créateurs. Au coeur même de Clermont-Ferrand, dans les superbes Ecuries de Chazerat, le Fonds Régional d'Art Contemporain d'Auvergne organise des expositions de haute qualité. Elles circulent ensuite dans différentes villes de la région.

Tourismus

Im Lande von Emmanuel Chabrier wird die klassische Musik besonders gepflegt. Das Orchester der Auvergne (1981 gegründet) vereint um seinen Chefdirigenten Jean-Jacques Kantorow 20 Musiker von internationalem Niveau. Seit seinem Bestehen hat es schon mehr als 600 Konzerte in Frankreich, im europäischen Ausland, in Amerika und Japan gegeben.

Unvergeßliche Höhepunkte auvergnatischer Musikdarbietungen sind das "Festspiel von La Chaise-Dieu", die "Musikalischen Nächte" im Bourbonnais, das "Opernfestival von Vichy" und die "Konzerte von Vollore Aulteribe".

Andere regionale Kulturereignisse sind "das Fest des Vogelkönigs" in le Puy-en-Velay, das "Straßentheater-Festival" in Aurillac und das "Kurzfilm-Festival" von Clermont-Ferrand.

Die Region hat für ihre Kulturarbeit drei Prioritäten gesetzt. Die finanzielle Unterstützung von Künstler und Autoren, die Inwertsetzung des Volks- bzw. Heimatgutes und ihre Verbreitung sowie die Förderung des Vereinslebens.

Auch auf dem Gebiet der zeitgenössischen Kunst ist die Auvergne sehr rege. Der "Regionale Fond für Zeitgenössische Kunst" (FRAC) hat eine Sammlung mit 80 Werken weltbekannter Künstler oder junger Nachwuchstalente zusammengetragen. In den historischen Gebäuden der "Pferdeställe von Chazerat" im Zentrum von Clermont-Ferrand, organisiert der "Fond Régional" anspruchsvolle Kunstausstellungen, die anschließend in den verschiedenen Städten der Region gezeigt werden.

Tourism

On the top floor, in the land of Emmanuel Chabrier, grand music resounds with all its might. The Orchestra of Auvergne, created in 1981, brought together twenty musicians of the highest international level to work under the directorship of Jean-Jacques Kantorow. The orchestra has already given more than six hundred concerts in France, all over Europe, in the United States, and in Japan.

Listening to Auvergne also means attending the unforgettable evenings of the "Festival de la Chaise-Dieu", the "Nuits Musicales" in the Bourbonnais region, the "Festival d'Opéra" in Vichy, and the "Concerts de Vollore et d'Aulteribe".

The region has an infinite wealth of cultural events such as "La Fête du Roi de l'Oiseau" (The King's Celebration of the Bird) at Puy-en-Velay, the "Festival du Théâtre de Rue" (Festival of Street Theaters) at Aurillac, and the "Festival du Court-Métrage" (Festival of Film Shorts) at Clermont-Ferrand.

In this field, regional activity is concentrating on three major goals - to support artists and creators, to encourage awareness of the region's heritage and its accessibility to the public, to develop a spirit of interaction.

Contemporary art has not been forgotten. Today, the Regional Fund for Contemporary Art (FRAC) has collected 80 pieces of art by artists with worldwide reputations or by young creators. In the very heart of Clermont-Ferrand, in the superb renovated Ecuries (stables) de Chazerat, the Regional Fund for Contemporary Art of Auvergne organizes high-quality exhibitions, which then travel to different cities in the region.

L'Orchestre d'Auvergne
Das Orchester der Auvergne
The Auvergne Orchestra

(F.R.A.C) - Jean Voss - Signe de Vie
(F.R.A.C.) - Jean Voss
(F.R.A.C.) - Jean Voss

Le Tourisme

A table...

L'écrivain Robert Sabatier qui a de bonnes références en matière de gastronomie, a écrit : "Qui chantera le saumoneau de l'Allier à la Brassacoise, les truites de torrent farcies montdoriennes ? Qui dira le canard de Maringues, le coq au vin de Tournebise, l'entrecôte à la pastourelle, les fricadelles de veau Mère Bravoune ?"

Mais que lit-on aux menus ? La potée évidemment, le fameux jambon cru parfumé, le saumon, la truite, les viandes de Charolais ou de Salers, le gigot de mouton, le poulet de l'Allier, la dinde de Jaligny, le lièvre des montagnes, le lapin des plaines.

En fin de parcours, les fromages : le robuste Cantal, l'onctueux Saint-Nectaire, le roborant Bleu d'Auvergne, la Fourme d'Ambert pétrie de violettes, le chèvreton ou Cabicou tout en nuances selon son âge et sa sagesse et, même, un fromage en forme de volcan : le Gaperon relevé d'ail et de poivre.

Et les desserts : pompe aux pommes, milhar aux cerises, tarte aux airelles, cornets à la crème de Murat...

Le tout arrosé avec les vins de Limagne (Dallet, Mezel, Romagnat), des coteaux adjacents (St-Bonnet près Riom, ce qu'il reste de Chanturgue) ou bénit par le Saint-Pourçain, en blanc, en rouge ou en rosé.

Tourismus

Zu Tisch bitte...

Der Schriftsteller Robert Sabatier, der gute Referenzen in der Gastronomie nachweisen kann, schrieb : "Wer rühmt schon folgende Gerichte : Junger Salm des Allier à la Brassacoise oder Wildbachforelle, gefüllt à la "Montdorienne ?" Wer spricht von Entenbraten auf Maringuer Art oder vom Hahn in Rotweinsoße nach Tournebiser Art, von dem Entrecôte Schäferart oder Kalbsklö ßchen nach Mutter Bravoune ?

Lesen Sie nach, was auf den Speisekarten steht ! Natürlich der berühmte auvergnatische Eintopf (Kohl und Schweinefleisch), der herzhafte rohe Schinken, der Lachs, die Forelle, köstliches Rindfleisch aus Salers oder dem Charolais, Hammelkeule, Brathähnchen aus dem Allier, Puter aus Jaligny, Hasen-und Wildkaninchenbraten.

Als Nachspeise Käse : kräftigen Cantal, weichcremigen Saint-Nectaire, starken Bleu d'Auvergne, die Fourme d'Ambert mit Veilchenblüten angesetzt, den Chèvreton (Ziegenkäse) ou Cabicou, je nach Alter und Reife verschieden stark im Geschmack. Da findet man sogar einen Käse in Form eines Vulkankegels, den Gaperon, der mit Knoblauch und Pfeffer angemacht ist.

Und zum Nachtisch : gedeckter Apfelkuchen, Kirsch- und Preiselbeertörtche sowie Cremehörnchen à la Murat.

Das Ganze muß dann mit einem Wein aus der Region genossen werden. Einem Wein aus der Limagne (z.B. aus den Lagen bei Dallet, Mezel oder Romagnat), den benachbarten Hanglagen (St. Bonnet bei Riom aus dem früheren Anbaugebiet Chanturgue) oder einem Weiß-, Rotoder Roséwein aus Saint-Pourçain.

Tourism

Dining...

The writer Robert Sabatier, who has a fine reputation in the field of gastronomy, has written "Who will sing of the young Allier River salmon à la Brassacoise (Brassac-les-Mines-style), the stuffed mountain stream trout Mont-Dore-style ? Who will speak of the Maringues-style duck, the coq au vin of Tournebise, the shepherdess' entrecôte steak, the veal fricadelles of Mère Bravoune ?

But, what do we see on the menu ? La potée (pork and cabbage stew). Of course, the famous flavorful jambon cru (smoked raw ham), salmon, trout, meat from Charolais or Salers, leg of lamb, Allier chicken, Jaligny turkey, mountain hare, rabbit from the plains.

Towards the end come the cheeses ; creamy Saint-Nectaire ; invigorating Bleu d'Auvergne ; Fourme d'Ambert, steeped in violets ; Chèvreton or Cabicou with delicate variations according to age and mildness ; and even a cheese in the shape of a volcano - Gaperon, seasoned with garlic and pepper.

And the desserts - pompe aux pommes (an apple cake), milhar aux cerises (a thick pancake with cherries), tarte aux airelles (a bilberry tart), cornets à la crème de Murat (Murat cream cornets).

All of these accompanied by the wines of Limagne (Dallet, Mezel, Romagnat), or from the adjoining hillsides (Saint-Bonnet near Riom, what is left of Chanturgue), or blessed by Saint-Pourçain - in white, red, or rosé.

Vignobles de Saint-Pourçain (Allier)
Weinberge bei Saint-Pourçain
Saint-Pourçain Vineyards

Fromages d'Auvergne
Auvergnatische Käsesorten
Auvergne Cheeses

Le Tourisme

Comme la bourrée, la cuisine d'Auvergne sait être lourde ou légère selon les circonstances. Les restaurateurs en sont les fidèles gardiens. Une association, Les Toques d'Auvergne, en réunit deux douzaines en une confrérie du bien manger et du bien recevoir.

Ils savent que le meilleur assaisonnement de leur cuisine est la patience. Patience à laisser bien mijoter, voire mitonner. "Nous allons tous au même endroit, disent ici les vieux sages, mais les uns y vont en courant, d'autres sans se presser".

Sur cette terre ancienne, on prend encore le temps de préparer, de savourer, de complimenter, de digérer, de remercier le ciel et la terre à qui l'on doit de pareilles délices. On prend le temps de vivre.

Tourismus

Wie der typische Volkstanz der Auvergne, die Bourrée, kann auch ihre Küche je nach Gelegenheit einmal schwer und einmal leicht sein. Die großen auvergnatischen Köche sind dieser Tradition treu geblieben. Vierundzwanzig von ihnen haben sich zu dem "Verein der Toques d'Auvergne" zusammen geschlossen, deren Gütesiegel die Kochmütze (= toque) ist. In ihren Häusern ist gutes Essen und Gastfreundschaft oberstes Gebot.

Für diese Chefköche gilt die Geduld als die beste Würze, die darin besteht, ein Gericht mit Liebe vorzubereiten und es langsam schmoren zu lassen. Wie sagen hier noch die alten Dorfweisen ? "Wir gehen alle zum selben Ort, die einen laufen, die anderen gehen ganz gemütlich".

Auf diesem alten Stück Land nimmt man sich noch Zeit, das Essen gut vorzubereiten, zu genießen, zu schätzen, zu verdauen, und Himmel und Erde zu preisen, denen man solche Köstlichkeiten verdankt. Hier nimmt man sich noch Zeit zum Leben.

Tourism

Like the Bourrée, the cuisine of Auvergne can be heavy or light according to the circumstances. Restaurant owners are its faithful guardians. An association, Les Toques d'Auvergne has brought two dozen restaurateurs together in a brotherhood of fine dining and fine entertaining.

They know that the best seasoning for their cooking is patience. The patience to let dishes really cook slowly, even barely simmering. "We are all going to the same place", say the wise old men here, "but some go running ; others, without hurrying".

On this ancient land, people still take time over the preparation of dishes to be slowly savored, and praised ; they take the time to thank the heavens and the land for providing such delights. People take time to enjoy life.

Terrasse
Terrassengärten
Terrace

Rue piétonne
Fußgängerzone
Pedestrian precinct

Un Airbus et le Puy-de-Dôme (Clermont-Ferrand - Aulnat)
Airbus beim Abflug vom Flughafen (Clermont-Ferrand - Aulnat)
Airbus and the Puy-de-Dôme (Aulnat airport - Clermont-Ferrand)

Jogging
Jogging
Jogging

Autoroute
Autobahn
Motorway

CREDIT PHOTO

GIL LEBOIS
Pages : 2 - 9 - 11 - 13 - 17 - 19 - 21 - 23 - 25 - 29 B - 31 B,E - 33 - 35 - 37 - 39 B
41 A,B - 65 B - 75 A - 81 B - 85 - 89 C - 93 - 95 - 99 - 107 A,B
109 A,B - 111 B

YOU / PUY D'IMAGES
Page : 91 C - 31 D - 15 B

C. PERTIN / PUY D'IMAGES
Pages : 31 A - 39 A - 89 A - 91 A - 111 - 31 F

BOB / PUY D'IMAGES
Page : 81 A

J.P. FRACHON / PUY D'IMAGES
Page : 97

VEDRINE / PUY D'IMAGES
Page : 51 B

LOIC JAHAN
Pages : 15 A - 39 C - 41 C

VELAY PHOTO
Page : 27

J.P. MOREL
Page : 29 A

D. POURCHER
Page : 47

D. POURCHER / AGENCE FELIPE - Clermont-Ferrand
Page : 110

Patrick CHAUSSE
Page : 55

JO BAYLE
Page : 57

PH. TERRET
Page : 67

CARTOGRAPHIE ORIGINALE : **Société LATITUDE -** Lyon 69001

Cet ouvrage a été réalisé à la demande du Conseil Régional d'Auvergne, par les Editions Xavier Lejeune.
Il a été achevé d'imprimer sur les presses d'INTERGRAPHIE en Mars 1990.

Dépôt Légal MARS 1990
N° Impression : 2 907 608 053
N° Editeur : 2 907 608